2025
서울 교원임용시험 2차 면접 대비

황서영, 이경민, 정지원, 구영모 공저

이론편

# 합격 시그널

S  I  G  N  A  L

서울 임용면접 만점자의 합격 비책 전격 공개

P  서울시교육청 시책을 반영한 이론 정리
A  면접 주제별 핵심 개념과 사례 및 심화자료 수록
S  주제별 중요 키워드만 골라 모은 핵심노트 제공
S  교과·비교과, 초수 합격·면접 만점 현직 교사의 다양한 맞춤형 조언

박문각

서울시교육청에 특화된 면접 책을 출판한 지 어느덧 4년 차,《합격 시그널》이라는 새로운 변화를 시도한 것도 벌써 1년이 지나 두 번째《합격 시그널》로 찾아뵙게 되었습니다.

여러분은 '면접'이라고 하면 어떤 생각이 드시나요? 물론 가볍게 웃음 지을 수 있는 분이 많으면 좋겠지만, 대체적으로는 "말을 잘 못하는데… 면접을 한 번도 경험해본 적이 없는데… 학교에 대해 아직 잘 모르는데…"하며 걱정부터 앞서는 분들이 더 많을 거라고 생각합니다. 수험생 시절에 저희도 다르지 않았습니다. 다만, 2차 준비 기간 동안 여러 시행착오를 거치며 나만의 방법을 만들었고, 그 노하우를《합격 시그널》에 담았습니다.

서울시교육청은 교육청 자체 출제 지역으로, 면접 문제의 난도가 높고 변별력이 커서 당락에 큰 영향을 주고, 심지어는 면접만으로 당락이 결정되기도 합니다. 또한 교사의 교직관이나, 서울시교육청 정책을 반영한 구체적 교육 방안 등을 고민해야만 풀 수 있는 문제가 출제되기도 합니다.

이 책은 서울시교육청 면접의 특징을 분석하고, 현직 교사로서 경험한 최근 학교 현장의 이슈를 반영하여 선생님들께서 효율적이면서 효과적으로 면접을 준비할 수 있도록 구성하였습니다.

### 1. 〈이론편〉: 서울시교육청의 정책과 이론을 함께 정리하여 한 권으로 이론 준비 끝!

좋은 답변을 위해서는 서울시교육청의 교육 주제와 정책을 숙지하고 있어야 합니다. 이 책은 교육 현장에서 숙지해야 하는 중요 주제를 선별하여 빠짐없이 담았고, 각 주제와 관련된 서울시교육청의 정책을 함께 정리하였습니다. 따라서 이론과 시책을 번갈아보며 정리할 필요 없이 〈이론편〉 한 권으로 충분히 이론 준비가 가능합니다. 또한 '특별부록 – 단숨에 암기하는 핵심노트'를 통하여 본문에서 학습한 이론의 핵심 키워드를 표 형태로 제시, 답변에 활용할 수 있도록 하였습니다.

### 2. 〈문제편〉: 서울시교육청 출제 유형을 반영한 다양한 문제로 실전 준비 끝!

이론을 외우고 있다고 하여 면접에서 무조건 높은 점수를 받을 수 있는 것은 아닙니다. 이론 학습 후에는 문제를 통한 실전 연습이 중요합니다. 〈문제편〉에서는 먼저 주제별 문제를 통하여 〈이론편〉에서 학습한 이론을 문제에 적용해볼 수 있습니다. 다음으로는 2024~2020 최신 5개년 기출문제를 통하여 서울시교육청의 출제 유형과 경향을 살펴볼 수 있습니다. 마지막으로 실전 모의고사에서는 지금까지의 기출 경향을 반영하여 출제 가능성이 높은 주제들로 문제를 엄선, 수록하였습니다. 아울러 명료하고 현실적인 예시답안을 제시하여 수험생들이 자연스럽게 답안의 흐름을 파악하고 학교 현장에 대한 이해를 높일 수 있도록 하였습니다.

## 3. 현직 교사의 아낌없는 노하우로 면접 준비 끝!

면접 준비 방식, 면접 태도 등 '숨은 1점'을 올려줄 수 있는 노하우를 아낌없이 담았습니다. 또한, '합격 시그널 카페'를 통하여 현직 교사들에게 직접 질문하거나 다양한 면접 관련 자료를 제공받을 수 있고, 면접 피드백 이벤트에도 참여할 수 있으니 꼭 가입하시길 바랍니다.

특별해서 합격하였다고 생각하지 않습니다. 단지 필요한 것을 연습하였고, 연습한 내용을 바탕으로 답변하였기 때문에 합격할 수 있었습니다. 집필 저자진들의 노하우가 응축된 《합격 시그널》이 여러분의 최종 합격까지 함께하겠습니다.

"선생님의 합격을 응원합니다."

## 이론편

〈이론편〉은 이론과 특별부록 – 단숨에 암기하는 핵심노트 총 2개의 형식으로 구성되어 있습니다. 이론은 5개의 대주제와 29개의 소주제로 구성되었으며, 각 주제는 서울시교육청의 시책 순서에 따라 분류되었습니다(단, 선생님들의 공부 편이성을 위해 '학생인권'과 '기초학력 지원'은 내용이 연계되는 챕터로 순서를 이동하였습니다).

### ① 이론

면접 주제별 개념, 특징, 사례 및
서울시교육청 맞춤 정책(시책)

### ② 특별부록 – 단숨에 암기하는 핵심노트

면접 주제별 핵심 키워드

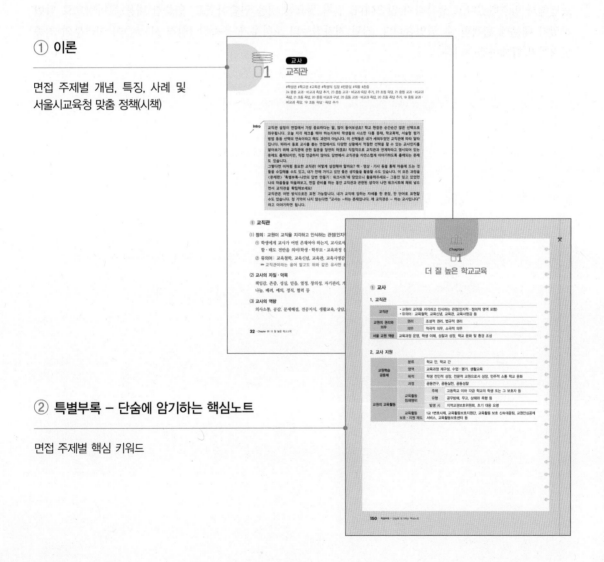

## 문제편

〈문제편〉은 주제별 핵심문제, 기출문제, 실전 모의고사, 예시답안, 특별부록 – 나만의 답변 만들기: 워크시트 등 총 5개의 형식으로 구성되어 있습니다.

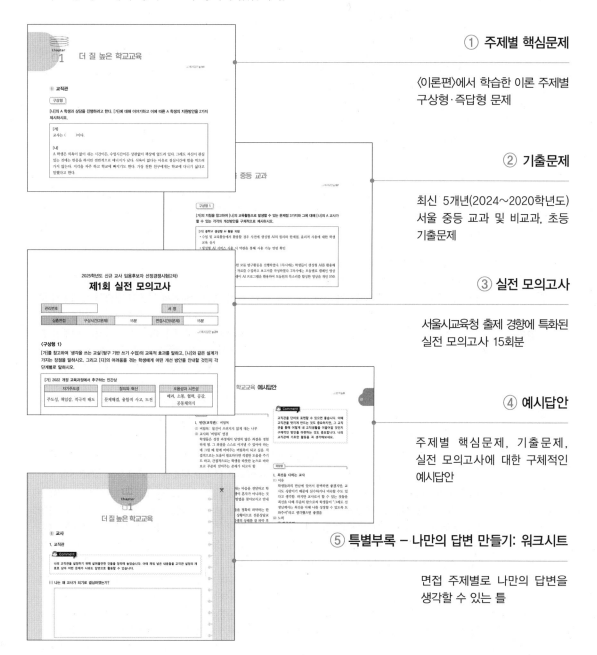

### ① 주제별 핵심문제

〈이론편〉에서 학습한 이론 주제별 구상형·즉답형 문제

### ② 기출문제

최신 5개년(2024~2020학년도) 서울 중등 교과 및 비교과, 초등 기출문제

### ③ 실전 모의고사

서울시교육청 출제 경향에 특화된 실전 모의고사 15회분

### ④ 예시답안

주제별 핵심문제, 기출문제, 실전 모의고사에 대한 구체적인 예시답안

### ⑤ 특별부록 – 나만의 답변 만들기: 워크시트

면접 주제별로 나만의 답변을 생각할 수 있는 틀

시기별 교재 활용 방법

\* 1차 합격자 발표 전(약 4주 반)

• 초등: 2024. 11. 9. (토) ~ 2024. 12. 11. (수)
• 중등: 2024. 11. 23. (토) ~ 2024. 12. 26. (목)

| 시기 | 〈이론편〉 | 〈문제편〉 |
|---|---|---|
| 초반 | • 살펴보기: 면접에 관한 기본 내용들을 보며 면접 시간, 문항 구성 등의 정보를 파악합니다.<br>• 책 둘러보기: 목차를 살펴보며 대주제, 소주제가 왜 이렇게 분류되었고 서로 어떤 연관성을 갖는지 파악하여 공부 체계를 잡습니다.<br>• 1회독 공부 계획 세우기: 스터디원들과 함께 공부 분량, 시간, 스터디 방식 등에 대해 논의하여 1차 합격자 발표 전까지 여유 있게 1회독을 끝낼 수 있도록 계획을 세워야 합니다. | • 〈이론편〉학습에 집중하기: 이론에 대한 기본 지식이 쌓이지 않은 채 문제를 푸는 것은 좋은 문제를 낭비하는 것과 같으므로 추천하지 않습니다. |
| 중반 | • 1회독하기: 혼자 〈이론편〉을 읽으면서 내용을 이해하고, 이해되지 않는 부분은 따로 체크해 놓습니다.<br>• 스터디하기: 스터디를 통하여 혼자서는 이해되지 않았던 부분을 해결하고, 스터디원들과 답안을 공유하며 미처 생각해보지 못하였던 부분이나 배우면 좋을 부분들을 점검합니다. | • 면접 감 잡기: 최신 5개년 기출문제를 통하여 출제 경향과 방식을 확인하며 실제 면접에 대한 감을 잡아야 합니다. 또한 최근 기출 주제, 중요하지만 아직 출제되지 않은 주제 등을 확인하여 각 주제별 중요도를 파악합니다.<br>• 모든 기출문제의 주제 살펴보기: 학교급을 가리지 않고 스터디에서 다루지 않았던 문제까지 모두 확인하여야 합니다. 초등에서 나왔던 주제가 중등에서 나오거나, 중등에서 나왔던 주제가 초등에서 나오는 경우도 있기 때문입니다.<br>• 나만의 답변 구상하기: 특별부록을 통하여 면접 주제별 여러 교육 방안들을 고민해보아야 합니다. 나만의 교육관을 답변에서 어떻게 드러낼 것인지 평소에 미리 정리하는 것이 필요합니다. |
| 추가 | 필요한 경우 직접 서울교육, 서울시교육청 블로그, 합격 시그널 카페에 업로드된 사업 계획서 등 추가 자료를 살펴보며 전체적인 흐름을 이해하고 부족한 부분을 보충할 수도 있습니다. | |
| 후반 | • 2회독하기: 1회독을 통하여 전체 내용을 이해한 후에는 개별적으로 빠르게 2회독을 하며 복습하여야 합니다. 이때 까먹었던 부분이나 중요하다고 생각되는 부분에 포스트잇을 붙여 다음 복습 때 바로 확인할 수 있게 하는 것을 추천합니다.<br>• 답변 만능틀 만들기: 2회독을 하면서 자주 나오는 주제나 여러 주제에 두루 적용될 수 있는 답안들을 정리하여 자신만의 만능틀을 만들어 두는 것을 추천합니다. | • 면접 답변 연습하기: 스터디 회차별로, 정해진 이론 범위에 해당하는 문제를 무작위로 뽑아 모의 면접을 진행합니다. 어떤 주제가 나올지 어느 정도 아는 상태에서 진행하므로 답변이 훨씬 수월할 것입니다. 이때 답변의 형식(구조)에 맞추어, 특별부록에서 생각해놓은 나만의 답변을 적용하는 연습을 추천합니다.<br>• 부족한 부분 확인하기: 이론 적용 문제를 풀며 이해가 부족한 주제를 확인합니다. 답변하기 어려웠던 문제의 경우 예시답안을 참고하여 부족했던 부분을 개선합니다. |

\* 1차 합격자 발표 후(약 4주)

- 초등: 2024. 12. 11. (수) ~ 2025. 1. 8. (수)
- 중등: 2024. 12. 26. (목) ~ 2025. 1. 22. (수)

| 시기 | 〈이론편〉 | 〈문제편〉 |
|---|---|---|
| 전반 | • 이론 단권화하기: 〈문제편〉을 풀면서 배웠던 스터디원들의 좋은 아이디어는 〈이론편〉이나 만능틀에 정리해놓는 것이 좋습니다.<br>• 신년사, 2025년 시책 확인하기: 1월 초 교육감의 신년사와 함께 시책이 나오는데, 이를 꼭 확인하여 기존 시책과 달라졌거나 추가된 부분을 확인·정리하여야 합니다.<br>※ 이 부분은 필요한 경우 합격 시그널 카페를 통해 파일을 제공할 예정이므로 신년사가 나온 이후 꼭 카페 공지를 확인해주세요. | • 실전처럼 연습하기: 실전 모의고사를 통하여 실제 면접처럼 문제에 답변해봅니다. 한 문제씩 따로 풀기보다는 총 15분이라는 시간에 맞추어 5문제를 한번에 풀어보는 것을 추천합니다. 또한 면접 현장이 전체적으로 담기도록 입장부터 퇴장까지 모든 과정을 영상으로 촬영하는 것이 좋습니다.<br>• 피드백·영상 확인하기: 스터디원들의 피드백과 촬영해둔 영상을 확인하여 답변이 자연스럽지 않았던 부분, 답변을 할 때의 태도·어조 등을 점검합니다. 점검 후에는 점검 내용을 반영하여 답변해보는 연습을 반복하여야 합니다. |
| 추가 | 중등 교과·비교과의 경우 초등 2차 면접 시험이 끝나면 해당 기출문제를 살펴보는 것이 좋습니다. ||
| 후반 | • 마지막 이론 점검하기: 평소 잘 외워지지 않았던 부분들을 다시 점검해보며 마무리하는 것이 좋습니다. | • 풀었던 문제 활용하기: 이 시기에는 새로운 문제가 부족할뿐더러, 새로운 문제로만 모의 면접을 진행하다 보면 답변을 잘 못하였을 때 불안감만 커질 수도 있습니다. 따라서 2차 시험 직전에는 기존에 풀었던 문제를 활용하되, 답변자를 바꾸어서 면접을 진행해보는 것을 추천합니다.<br>• 최종 점검하기: 스터디에서 모의 면접을 진행하며 여러 번 틀린 문제, 여러 번 지적받은 비언어적 태도 등을 집중적으로 최종 점검하고, 이를 모두 개선하여 유창하게 답변하는 연습을 반복하여야 합니다. |

### ① 교직적성 심층면접이란?

| 구분 | | 배점 | 문항 수 | 구상 시간 | 시험 시간 |
|---|---|---|---|---|---|
| 초등 | | 40 | • 구상형: 1문항<br>• 즉답형: 2문항 | 10분 이내 | 10분 이내 |
| 중등 | 교과 | 40 | • 구상형: 2문항+추가질문: 1문항<br>• 즉답형: 1문항+추가질문: 1문항 | 15분 이내 | 15분 |
| | 비교과 | 100 | | | |
| 출제 범위 | | | 교사로서의 적성, 교직관, 인격 및 소양, 서울교육정책 | | |

### ② 심층면접 진행 과정

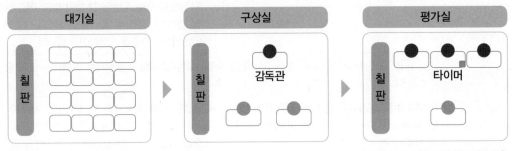

※ 배치는 시험장에 따라 달라질 수 있음

### (1) 대기실

① 수험번호에 맞게 배정된 대기실에 입실한 후 관리번호를 뽑음. 응시자 수에 따라 과목별로 고사실이 두 개 혹은 세 개로 나뉘고 앞 수험번호는 고사실 1에서, 뒤 수험번호는 고사실 2에서 평가받음

② 관리번호순으로 2차 면접을 치르게 되며, 이때 자신의 개인정보는 언급 불가

### (2) 구상실

① 복도 감독관의 안내에 따라 구상실로 입실

② 감독관이 타이머를 눌러 시간 측정(초등 10분, 중등 15분)

③ 시간 내에 문제지를 보고 구상형 문제에 대한 답변을 구상함. 이때 구상실에 마련된 볼펜으로 문제지에 답변 구상 가능

## (3) 평가실

① 구상 시간이 끝나면 평가실로 이동

② 면접관은 총 세 명으로 장학사 및 교장·감 등 관리자로 구성되며, 졸거나 수험생을 쳐다보지 않는 태도를 취하기도 하고 열심히 경청하기도 함

③ 평가실에서 관리번호를 이야기하면 면접관의 진행으로 면접이 시작됨

④ 초등은 10분, 중등은 15분으로 타이머가 맞춰져 있으며 시간이 3분 남았을 때 팻말로 안내해줌. 타이머가 울리면 답변을 다 마치지 못하였더라도 면접이 종료됨

# ③ 면접 문항

## (1) 문항 구성

| | | |
|---|---|---|
| **구상형** | 유형 | 면접실로 들어가기 전 구상실에서 답변을 구상할 수 있는 문항입니다. 제시된 지문을 읽고 자신의 답변을 정리하여 구상지에 필기한 뒤, 구상 시간이 끝나면 면접실에 가서 정리한 내용을 바탕으로 답변합니다. |
| | 특징 | 구상형은 미리 구상하는 시간이 주어지기 때문에 질문의 가짓수가 많고, 제시문을 분석하여 답변해야 하거나, 구체적인 방안·경험 등을 물어보는 경우가 많습니다. |
| | 연습 방법 | 구상지의 여백이 좁기 때문에 많은 내용을 필기할 수는 없습니다. 그래서 핵심 키워드를 개조식으로 필기해두고 이를 문장으로 말하는 연습을 하는 것이 중요합니다. |
| **즉답형** | 유형 | 면접실에서 지문을 확인한 뒤 바로 답변하여야 하는 문제입니다. 구상형 답변이 끝난 후 파일을 열어 문제를 읽고, 그에 대한 답변을 약 1분 내외로 구상한 후 답변합니다. |
| | 특징 | 일부 다른 지역 교육청의 경우 즉답형 문제의 지문을 구상 시간에 미리 볼 수도 있습니다. 그러나 서울시교육청에서는 구상형 및 구상형 추가질문에 대한 답변이 모두 끝난 후에야 즉답형 지문을 확인할 수 있으며, 이때는 펜을 사용하지 않고 머릿속으로만 구상하여야 합니다. |
| | 연습 방법 | 짧은 시간 안에 필기 없이 답변을 구상한 뒤 즉각적으로 답변을 하여야 하므로 많은 연습이 필요합니다. 규정상 구상 시간이 따로 정해져 있지는 않지만, 1분 이내로 구상하는 연습을 하여야 합니다. |
| **추가질문 (중등)** | 유형 | 면접관이 즉석에서 구두로 출제하는 문제입니다. 면접관이 제시하는 질문을 잘 들은 후 답변하면 됩니다. 문제를 잘 듣지 못하였거나 헷갈리는 경우 재질문 요청이 가능합니다. |
| | 특징 | 구상형·즉답형에 대한 추가질문으로 이루어집니다. 다만, 추가질문은 선생님이 하신 답변에 대한 것이 아니라 문제와 관련된 질문으로 미리 정해져 있습니다. |
| | 연습 방법 | 답변하는 동안 문항 내용을 계속 볼 수 있는 구상형·즉답형과 다르게 구두로 듣는 문항이므로 처음부터 문제를 잘 들을 수 있도록 연습하는 것이 중요합니다(최근 일부 면접관들은 재질문을 해도 알려주지 않는 경우가 있다고 합니다). 묻는 내용이 무엇인지, 가짓수는 몇 가지인지 유의하여야 합니다. |

## (2) 최신 5개년 기출 주제 정리

### ① 초등

| 연도 | 구상형 | 즉답형 1(추가질문) | 즉답형 2 |
|---|---|---|---|
| 2020 | 기초학력 | 실천적 지식 | 중간놀이 |
| 2021 | 코로나19 시대<br>교사의 역할 | 학생관 | 교원학습공동체 |
| 2022 | 신학년 집중 준비기간,<br>학급 특색 활동 | 신규 교사의 어려움 해결 방안 | 교사는 살아 있는 교육과정,<br>교사 자질 |
| 2023 | 관점에 따른<br>교사 생애 성장 모습 | 학생관, 교사관, 지식관 | 신년사, 사자성어,<br>서울시교육청 정책 |
| 2024 | AI 교육에 대한 시사점,<br>교사의 역할, 자신의 계획 | 학생 주도형 협력형 프로젝트<br>질문, 피드백 | 본인의 교육철학 |

### ② 중등

| 연도 | 구상형 1 | 구상형 2 | 구상형 추가질문 | 즉답형 | 즉답형 추가질문 |
|---|---|---|---|---|---|
| 2020 | 올바른<br>생활지도 방안 | 협력적<br>인성교육 방안 | 교사로서의<br>인성적 자질,<br>개인적 노력(경험) | 교육관, A/B 학생<br>중 선택 | 선택하지 않은<br>학생에 대한 조언 |
| 2021 | 생활지도,<br>관계 회복 | 원격수업 상황<br>문제점, 해결 방안 | 교직관, 새 학기<br>온라인 학급 활동 | 인지적·정의적<br>측면의 학생 지원<br>방안, 교육관 | 기본학력 책임<br>지도제 참여율<br>증진 방안 |
| 2022 | 생태전환교육 | 수업 혁신 관련<br>문제점, 해결 방안 | 교원학습공동체<br>주제, 방안 | 학교교육이<br>나아가야 할 방향 | 학생관(교직관),<br>교사 역량/태도 |
| 2023 | 수업 혁신<br>(디벗, 에듀테크) | 교사 문화<br>(교사 간 소통) | 교사 문화<br>(동료 교사 대응) | 교사 전문성 강화,<br>성찰 | 교직관,<br>공간 혁신 |
| 2024 | AI 수업 문제점 및<br>개선 방안 | 학급 자치, 민주<br>시민교육 방안 | 스마트폰 사용<br>학생 지도 방안 | 교사 갈등 상황 | 교사의 권위 |

### ③ 비교과

| 연도 | 구상형(공통) | | 구상형(전공별) | 구상형 추가질문 |
|---|---|---|---|---|
| 2020 | 협력적 인성교육,<br>교사로서 적합한 이유 | 상담 | 다양한 상담 필요 상황에 대한 대처 | 지도 시 문제점과 해결 방안 |
| | | 보건 | 당뇨가 있는 학생(인슐린 주사) | 보건 수업 중 대처, 발목 염좌 |
| | | 영양 | 채식 급식(한식의 날) | 균형 잡힌 식습관 관련 영양교육 |
| 2021 | 학교폭력 상황 후<br>관계 회복 | 상담 | 수업방해학생 | 외부기관 연계 권유 |
| | | 보건 | 성교육 | 손목 골절 |
| | | 영양 | 자율배식 | 식중독 예방 |
| 2022 | 비교과 교사의 어려움 | 상담 | 자해학생 | 스마트폰 과의존 |
| | | 보건 | 척추측만증 | 단백뇨 |
| | | 영양 | 그린급식 교육 프로그램 | 채식 급식 관련 가정통신문 |

| 2023 | 1-1. 부적응학생 지원 방안<br>1-2. 교원학습공동체 | 상담 | 트라우마 상황 | 공황장애학생, 학업중단숙려제 |
|---|---|---|---|---|
| | | 보건 | 당뇨가 있는 학생 | 보건교육 '생활 속의 건강한 선택' |
| | | 영양 | 학교 영양소 진단 | 지역사회 연계 먹거리 생태전환교육 |
| 2024 | 다문화학생<br>(어려움, 지원 방안,<br>프로그램 운영) | 상담 | 자살 위험성 평가, 자살위험학생 보호 방안 | 청소년기 특징과 연계한 부모 코칭 |
| | | 보건 | 면역, 수업전개과정 시연 | 약물 및 약물 오·남용교육 |
| | | 영양 | 섭식장애 | 로봇 급식 |

## (3) 출제 경향

### ① 교육 트렌드, 이슈와 관련된다!

임용면접 문제에는 해당 연도의 교육 트렌드가 반영되는 경우가 많습니다. 2021년에는 코로나19로 인한 원격 수업 관련 문제가 출제되었고, 2023년에는 서울시교육청의 중점 추진 사업이었던 '디벗' 사업과 연계한 에듀테크 관련 문제가 출제되었습니다. 그리고 2024년에는 최근 교육계에서 가장 활발하게 연구되고 있는 주제인 인공지능(AI) 교육 관련 문제가 출제되었으며, 서울시교육청이 안내한 생성형 AI 가이드라인이 함께 제시되었습니다. 따라서 사회적 이슈와 교육부, 특히 서울시교육청에서 강조하는 주제 및 사업을 잘 고려하여 공부해야 합니다.

### ② 교직관은 꼭 물어본다!

교직관(교육관, 학생관 등)을 물어보는 문항은 매년 출제됩니다. 단, 교직관 자체만을 단독으로 물어보기보다는 아래와 같이 교직관을 다른 내용과 연계한 답변을 요구합니다.

- 2024 초등 즉답형 2: 제시문을 읽고 본인의 교육철학을 말하시오.
- 2023 중등 즉답형 추가질문: 학교 내 공간 중 바꾸고 싶은 부분이 있다면 어떻게 바꾸고 싶은지 자신의 교직관과 연계하여 이야기하시오.
- 2022 중등 즉답형 추가질문: 자신의 학생이 어떤 학생으로 성장하면 좋을지에 대해 이유와 함께 말하고, 이를 위해 교사에게 필요한 역량 또는 태도를 2가지 말하시오.
- 2021 중등 구상형 추가질문: 신규 교사로서 새 학기가 시작되면 가장 먼저 하고 싶은 온라인 학급 활동을 말하고 그 이유를 자신의 교직관과 연계해서 말하시오.

따라서 Chapter 01의 첫 번째 단원에서 자신만의 교직관을 정립해보고, 이를 다양한 주제에 적용하여 답변하는 방법을 문항을 통해서 많이 연습해보시기 바랍니다.

### ③ 학교 현장의 실제적 상황이 구체적으로 제시된다!

구상형 문항의 경우 주로 교사가 처한 상황, 학급에 발생한 문제 사례, 학생 및 학부모의 질문, 학생의 특성, 학교의 교육 계획 등 실제적 상황이 구체적으로 제시됩니다. 이러한 유형의 문항에는 학습한 이론을 사례에 적용하여 해당 사례에서의 문제점, 개선점 등을 파악하고 이를 해결하는 방안을 제시해야 합니다. 단순히 이론을 암기하는 것만으로는 답변하는 것이 다소 어려울 수 있으니 실제 현장에서 적용할 수 있는 내용을 위주로 연습해보시기 바랍니다.

④ 서울시교육청 시책 및 사업은 반드시 숙지!

2차 시험의 변별력이 커지면서 면접의 난도도 높아지는 추세입니다. 몇 년 전까지만 해도 다른 지역 임용 수험생들도 충분히 답변할 수 있는 평이한 수준의 문항이 출제되었지만, 이제는 서울시교육청만의 특화 정책과 사업을 구체적으로 물어보는 문항이 출제되고 있으며, 그 내용도 날이 갈수록 까다로워지고 있습니다.

> • **2023 초등 즉답형:** 아래의 서울시교육청 정책 중 자신이 교사가 된다면 활용하고 싶은 것을 3가지 고르고, 그 이유를 자신의 경험과 관련지어 말하시오.

| 기초학력 점프업 | 국제공동수업 | 기후행동 365 | 농촌유학 |
|---|---|---|---|
| 서울학생<br>건강더하기+ | 서울형 독서토론 기반<br>프로젝트 학습 | 서울형 메타버스 | 자·타·공·인<br>자전거 문화 |
| 서울형 토의·토론 | 서울희망교실 | 키다리샘 | 협력종합예술활동 |

서울시교육청의 시책 및 사업에 대하여 사전에 공부해두지 않으면 풀 수 없는 문제가 출제되기도 하므로 반드시 미리 숙지해두어야 합니다.

## ❹ 면접 답변

### (1) 답변 방법

① 인사 후 관리번호 말하기: "안녕하십니까? 관리번호 ○○번입니다." (착석)

② 매 문항의 답변마다 문제 번호 말하기: "구상형 ○번 답변드리겠습니다."

③ 두괄식으로 답변하기: 주장/키워드 → 주장/키워드에 대한 설명 → 근거, 필요성, 목적, 기대효과 등으로 답변

④ 가짓수에 따라 답변하기
   • 상위 항목: 먼저, 다음으로, 마지막으로
   • 하위 항목: 첫째, 둘째, 셋째, 첫 번째로, 두 번째로, 세 번째로 등으로 구분

   📌 먼저, 첫째, 둘째, 셋째 / 다음으로, 첫째, 둘째, 셋째 / 마지막으로, 첫째, 둘째, 셋째

**예시 문제**

교사로서 다음 학생들의 학업 중단을 예방할 수 있는 방안을 학생별로 한 가지씩 이야기 하시오. 또한 세 학생의 학교 적응력을 높일 수 있는 학급 차원의 활동을 한 가지 제시하시오.

> **학생 A**
> - 팔에 자해 흔적이 있으며 SNS에 살고 싶지 않다는 메시지를 자주 남김
> - 수업시간에 누워 있고 수업에 참여하지 않음
>
> **학생 B**
> - 기초학력부진학생이며 친구들과의 관계에 어려움을 겪고 있음
> - 미인정결석이 연속 10일을 넘음
>
> **학생 C**
> - 중국에서 온 학생으로, 한국에서 학교를 다니는 것이 처음임
> - 한국어를 할 수 없어 수업에 참여하는 데 어려움을 겪고 있음

**예시 답안**

"구상형 1번 답변드리겠습니다. 학생들이 겪고 있는 어려움에 맞는 도움을 통해 학업 중단을 예방하는 것이 중요합니다. 먼저 학생들의 학업 중단 예방 방안을 말씀드리겠습니다. <u>첫째, 학생 A를 위해 전문상담교사와 연계하여 심리상담을 실시하도록 하겠습니다.</u> 학생 A는 자해를 하며 살고 싶지 않다는 메시지를 남기고 있습니다. 이는 위기상황이기 때문에 상담을 통해 전문적으로 지원하는 것이 필요합니다. 또한 담임교사로서 상담교사와 지속적으로 소통하며 학생을 돕겠습니다.

*(간단한 서론 / 상위항목 1 / 하위항목 / 주장 / 근거)*

(중략)

다음으로 학교 차원의 활동을 말씀드리겠습니다. <u>세 학생의 학교 적응력을 높이기 위해 마니또 활동을 실시하겠습니다.</u> 마니또 활동이란 학급에서 서로의 마니또가 되어 일정 기간 동안 몰래 그 친구를 도와주는 것입니다. 학업중단 위기의 학생들에게 필요한 것은 한 사람의 관심입니다. 따라서 마니또 활동을 통해 학급 구성원들 모두가 서로의 마니또가 되어 서로에게 관심을 가지고 돕는 시간을 마련하고, 학급 내 유대감을 높이고 친목을 도모하게 하여 학교에 적응하는 것을 돕겠습니다. 이상입니다.

*(상위항목 2 / 주장 / 주장 설명 / 필요성 / 기대 효과 / 답변 마무리)*

## (2) 준비 방향

### ① 구체적·창의적 답변을 연습하자.

면접관의 입장에서 생각해보면, 상당수의 수험생들이 비슷한 답변을 하면 지루하지 않을까요? 그렇기 때문에 고득점을 위해서는 구체적이면서 창의적인 답변을 하는 것이 중요합니다.

예를 들어 학생들 간 갈등해결 방안을 물어볼 때 "학생들 간 진심을 나눌 수 있는 방안을 모색하여야 합니다."라는 모호한 답변보다는 "회복적 생활교육의 일환으로 문제해결 서클을 이용하여 갈등 관련 당사자들이 서로의 진심을 터놓을 수 있는 자리를 만들겠습니다."와 같은 구체적인 답변을, 독서교육 활성화 방안을 물어볼 때 "학급문고를 만들어 운영하겠습니다."와 같은 평범한 답변보다는 "'오구오구' 활동을 시행하겠습니다. 오구오구는 '오늘의 구절'의 줄임말로, 학생들이 오늘의 구절 후보를 내고 투표를 통해 우리반 오늘의 구절을 뽑아봄으로써 각자 읽은 책을 공유할 수 있는 시간을 가지겠습니다."와 같은 창의적인 답변이 고득점을 받을 수 있습니다. 나만의 다양한 답변을 〈문제편〉 특별부록–나만의 답변 만들기: 워크시트를 통해 정리해보세요!

구체적이고 창의적인 답변이 생각나지 않는다면 나의 경험을 넣어 답변하는 것도 좋습니다. 〈문제편〉 특별부록–나만의 답변 만들기: 워크시트 'Chapter02-1. 교직관'을 통해 학창시절, 교육실습, 교육봉사, 기간제나 시간강사로 일했던 경험 등을 떠올려보세요. 기억에 남는 좋은 사례는 적극적으로 활용하고, 아쉬움이 남는 사례는 "내가 교사였다면"의 방향으로 개선하는 것이 좋습니다.

### ② 답변에 서울시교육청 시책을 반영하자.

면접관은 교육정책을 만들고 운영하는 장학사(또는 교장·교감)로 구성되므로 교육청이 추구하는 교육의 방향과 답변의 방향이 같으면 더 높은 점수를 받을 수 있습니다. 시책을 이야기할 때는 단순히 사업명만을 이야기하기보다는 앞에 "서울시교육청에서 강조하는/시행하는"이라는 말을 넣는 것을 추천합니다. 이는 교육청이 추구하는 정책이나 교육 현장에 대한 이해를 드러낼 수 있기 때문입니다. 단, 과도한 사용은 외운 듯한 느낌을 주기 때문에 지양하세요.

### ③ 만능틀을 만들자.

면접장에서 낯선 문제를 만나면 당황하여 아무 생각도 나지 않을 수 있습니다. 따라서 다양한 문제에 적용할 수 있는 자신만의 만능틀을 만들어 주제별 또는 상황별로 쓰일 수 있는 예시들을 미리 생각해보세요.

## (1) 활동

① ○○일기: 감정일기, 감사일기, 성찰일기 등

→ **기대 효과**: 일기를 쓰며 상황과 생각을 정리할 수 있음, 과거에 썼던 일기를 살펴보며 자신의 변화에 대해 파악할 수 있음

② 체육활동: 팀 스포츠, 협력 전래놀이 등

→ **기대 효과**: 함께 체육활동을 하며 자연스러운 소통 가능, 체력 증가 및 스트레스 해소

## (2) 방안

① 또래 지원: 동아리, 마니또 등

② 동료 교사: 교원학습공동체, 협의회, 선배 교사, 관리자 등

③ 학부모: 학부모상담, 부모교육 등

④ 외부기관 활용: 지역 내 관련 기관/강사, 위(Wee) 센터, 스마트쉼센터, 다문화교육지원센터 등

## (3) 태도

면접 또한 사람과 사람이 만나는 자리이기 때문에 면접 에티켓을 반드시 지켜야 합니다. 면접관을 존중하는 태도가 숨은 1점을 찾아줄 수 있습니다.

우선 첫 인상이 중요합니다. 복도 감독관이 평가실의 문을 열어주는 경우도 있지만, 본인이 여는 경우라면 반드시 노크하고 들어가야 합니다. 그리고 의자 옆에 서서 *"안녕하십니까, 관리번호 ○○번입니다."*라고 씩씩하고 밝게 인사합니다. 가끔 면접관이 앞사람의 점수를 합산하느라 면접자의 인사를 보지 못하는 경우도 있는데, 이때에는 눈을 맞춘 뒤에 인사하는 것이 좋습니다. 그 후에는 면접관이 자리에 앉으라고 할 수도 있고 아무 말 없이 지켜볼 수도 있으니(저자들은 모두 다른 상황이었습니다) 상황에 따라 자연스럽게 행동하면 됩니다.

바르고 단정한 자세로 앉고 면접관이 시작을 알리면 *"구상형 1번 답변드리겠습니다."*라고 말하면 됩니다. 이때 구상지를 보기보다는 면접관을 바라보며 답변을 시작하세요. 답변을 마무리할 때도 면접관을 바라보고 *"이상입니다."*라고 말하며 한 문항의 답변이 끝났음을 알립니다. 모든 문항에 대한 답변이 끝나면 의자를 조용히 넣고 *"경청해주셔서 감사합니다."*하고 인사하면서 나오면 됩니다. 나올 때 문도 조용히 닫는 것 잊지 마세요.

> **꿀팁** 답변을 마친 후 시간이 남으면 포부를 이야기하는 것도 좋습니다. 직접적인 채점 요인은 되지 않겠지만, 면접관들에게 긍정적인 인식을 줄 수 있으니 나올 때 평범한 감사 인사보다는 서울시 교사로서 준비되어 있다는 모습으로 마무리하면 어떨까요?

## 면접 ✓체크리스트

| 영역 | 체크할 내용 |
|---|---|
| 입실 | ☐ 노크 후 문 열기<br>☐ 뒤돌지 않고 면접관을 바라보며 문 닫기<br>☐ 바르고 자신감 있는 걸음걸이로 책상까지 이동하기<br>☐ 면접관과 눈 맞춤 후 인사하며 관리번호 말하기<br>☐ 90°로 인사하기(마음속으로 1, 2, 3 세기)<br>☐ 소리 나지 않게 의자를 빼고 앉기 |
| 자세·태도 | ☐ 가벼운 미소<br>☐ 단정한 머리 스타일과 옷차림<br>☐ 면접에 불필요한 행동하지 않기(턱이나 머리를 만지는 등)<br>☐ 어깨 바르게 펴기<br>☐ 의자에 기댄 허리와 등 곧게 펴기 |
| 눈빛,<br>시선 처리 | ☐ 적절한 시선 분배(면접관 세 명 다 골고루 보되, 너무 자주 시선 바꾸지 않기)<br>☐ 시선, 몸, 고개 함께 움직이기<br>☐ 구상지, 문제지를 자주 보지 않기<br>☐ 또렷하고 자신감 있는 시선과 눈빛<br>☐ 추가질문을 들을 때 적절한 시선 처리<br>☐ 즉답형 문제를 확인할 때 적절한 시선 처리 |
| 목소리,<br>언어 | ☐ 자신감 있는 목소리<br>☐ 적당한 말의 속도<br>☐ 리듬과 어조, 강세로 키워드를 강조하기<br>☐ 웅얼거리지 않고 정확한 발음<br>☐ 간투사("음...") 등) 사용하지 않기<br>☐ 문장 내 적절한 주어, 동사, 목적어, 조사 사용<br>☐ 문장 간 자연스러운 연결 |
| 시간<br>조절 | ☐ 문항별 적절한 답변 시간(3분 이내)<br>☐ 즉답형과 추가질문에 대해 생각하는 시간이 너무 길지 않게 조절하기(최대 1분)<br>☐ 정해진 답변 시간 초과하지 않기(초등 10분, 중등 15분) |
| 퇴실 | ☐ (시간이 남으면) 교사로서의 포부 간단히 말한 후 마무리하기<br>☐ "이상입니다. 경청해주셔서 감사합니다." 말하기<br>☐ 90°로 인사하기(마음속으로 1, 2, 3 세기)<br>☐ 소리 나지 않게 의자를 빼며 일어서기<br>☐ 바른 걸음걸이로 출구까지 이동하기<br>☐ 퇴실 전 목례하기 |

## ⑤ 면접 FAQ

### (1) 면접 준비

---

**Q 01**    1차 합격 여부를 모르는데 2차 면접 준비를 해야 할까요?

당연히 준비해야 합니다. 1차 합격 여부는 결과 발표 전까지 전혀 예상할 수 없어요. 결과 발표가 나고 준비를 하면 시간이 촉박하기 때문에 1차가 끝나면 바로 2차 준비에 들어가야 해요. 본인이 약두 달 동안 2차를 열심히 준비한다면 비록 1차에서 높은 성적이 아니었더라도 2차에서 뒤집기가 충분히 가능해요. 서울 교원임용시험은 특히 면접의 변별력이 아주 크기 때문에 1차에 가까스로 합격하였어도 2차에서 결과를 뒤집어 최종 합격한 사례가 많아요. 설령 올해가 아니더라도 2차 점수는 경험이 쌓일수록 비례하여 높아지기 때문에 내년을 위한 기회로 삼을 수도 있어요. 그러니 1차가 끝나면 1차 점수에 대한 생각이나 불안은 떨쳐버리고 바로 2차 시험을 준비하세요.

---

**Q 02**    1차 시험이 끝나고 바로 2차 준비를 시작해야 할까요?

일주일 정도는 본격적인 2차 공부 전 스터디를 구성하고 공부 계획을 세운 후 시작하면 좋아요. 그동안 맛있는 것도 먹고 잠도 충분히 자면서 1차가 끝난 기쁨을 누려도 되고요. 1차 준비로 이미 지친 상태에서 두 달 내내 쉬지 않고 또 달려야 하므로 첫 일주일은 너무 무리하지 않는 것을 추천드려요. 그러나 실기 교과의 경우 2차 준비 시간이 굉장히 부족하기 때문에 시간과 컨디션을 잘 조절하여 2차 준비를 빨리 시작하는 것을 추천해요.

---

**Q 03**    서울 임용면접은 변별력이 큰 편인가요?

서울 임용면접은 변별력이 크기로 유명해요. 실제로 1차에서 여유 있게 합격한 사람도 면접으로 불합격하는 사례가 많이 나오고 있어요. 바꿔 말하면 1차에서 컷 부근이었던 사람도 2차 면접으로 충분히 결과를 뒤집을 수 있다는 뜻이겠죠? 그러니 끝까지 포기하지 않고 최선을 다하여 준비하면 최종 합격할 수 있을 거예요.

**Q 04  2차 면접 준비 때 필요한 자료에는 무엇이 있나요?**

면접 대비서, 서울시 주요 업무(시책), 각종 브로슈어, 교육청 정책자료, 교육감 신년사 등이 필요해요. 보통은 자신에게 맞는 면접 대비서를 산 뒤, 교육청 주요 업무를 정리하는 방식으로 2차 면접 준비를 해요. 이때 면접 대비서는 이론과 시책이 다 포함된 것을 골라야 해요. 브로슈어는 서울시교육청에서 발간한 '서울교육-웹진', '지금서울교육'과 교육부에서 발간한 '행복한 교육'을 많이 보고, 추가로 EBS 교육 기획 다큐멘터리를 보는 것도 도움이 돼요. 특히 서울시에서 발간한 자료는 모호한 교육정책이 현장에서 어떻게 구체화되는지를 확인할 때 도움이 될 뿐만 아니라, 최근 서울교육-웹진에 있던 글이 출제된 사례도 있어 꼭 살펴보는 것이 좋아요. 또한 교육감의 신년사는 서울시에서 그해 강조하는 업무들을 파악하는 데 도움을 주니 1월에 꼭 확인하세요.

**Q 05  서울시교육청 주요 업무(시책)를 어떻게 공부해야 할까요?**

서울시교육청 시책은 교육청에서 어떤 사업을 하고 있는지, 정책 방향은 무엇인지를 보여주는 자료로, 이를 토대로 면접 문제가 출제되고 있어요. 1차 때 공부했던 것처럼 정책 정의나 목적 등을 글자 그대로 외우는 것이 아니라 적용 방안과 기대효과 등을 고민하여야 해요. "만약 내가 이 사업을 맡게 될 교사라면 어떤 활동을 해볼까?", "여기서 학생이 얻을 수 있는 교육적 효과는 무엇일까?", "실행하였을 때 생길 수 있는 문제점과 해결 방안에는 무엇이 있을까?" 등 실제적인 방안을 생각해보는 것이 중요해요. 시책은 본서에 모두 반영하였고, 매년 1월 새 학년도 업무 정책이 발표되면 추가 사업을 합격 시그널 카페에 정리하여 올리고 있으니 꼭 참고하세요!

**Q 06  1차 때 공부했던 교육학을 또 보아야 할까요?**

실제 면접에서는 자신의 교육철학을 바탕으로 구체적인 방안을 말하는 것이 중요하기 때문에 바쁜 시기에 군이 또 교육학을 보는 것은 추천하지 않아요. 기출문제를 보더라도 교육학 이론을 적용해서 답변하여야 하는 문제는 거의 출제되지 않았고, 대신 2022년 이후로는 서울시교육청에서 실시하는 정책과 관련된 문제가 많이 나오는 추세예요.

**Q 07  면접 준비를 할 때 동영상 촬영이나 음성 녹음이 필요할까요?**

동영상 촬영을 통해서 답변할 때 자신의 시선 처리, 눈빛 등 자세와 태도를 확인해보세요. 음성 녹음은 말의 속도, 강세, 리듬, 억양 등을 파악하여 부족한 부분을 개선하는 데 도움이 될 거예요.

## Q 08 면접 강의는 꼭 들어야 할까요?

책이나 스터디를 통해 이해가 되면 꼭 강의를 듣지 않아도 돼요. 이해가 잘 되지 않는 부분이 있으면 합격 시그널 카페 Q&A 게시판을 이용해 궁금증을 해소하는 것을 추천해요. 2차는 1차에 비해 준비 기간이 상대적으로 짧고, 단순히 이론을 공부하는 것을 넘어서는 준비가 필요하기 때문에 강의를 듣기보다는 스스로 말하는 연습 등이 필요해요. 하지만 공부 스타일에 따라 강의가 필요하다고 느껴진다면 이동 시간과 같은 자투리 시간을 이용해 듣는 것을 추천해요.

## Q 09 2차 준비를 할 때 수업실연과 면접에 대한 비중을 어떻게 나누어야 할까요?

이는 각자 달라요. 비교과의 경우 수업실연이 없고, 교과 중에는 수업실연과 면접 외에 실기·실험이 있는 교과도 있기 때문이에요. 일반적으로는 수업실연과 면접이 반영되는 비율대로 비중을 두어 준비하는 것을 추천해요. 예를 들어 수업실연 60%, 면접 40%로 반영되는 교과는 초반 준비 비중도 수업실연과 면접을 3:2로 두고 준비하세요. 그리고 준비를 하면서 자신이 느끼기에 비교적 부족한 부분에 시간과 노력을 좀 더 쏟기를 추천해요.

## (2) 면접 스터디

### Q 01 혼(자) 공(부) vs 스터디, 어떤 것이 좋을까요?

혼자 공부하는 것보다는 스터디를 추천해요. 면접에 익숙하지 않은 수험생들이 주제를 파악하고, 새로운 용어들을 인출하는 데 많은 도움이 될 거예요. 스터디를 통해 구상 시간부터 면접까지 실전 연습을 해볼 수도 있고, 면접에서 본인이 당황하는 포인트, 풍부하지 않았던 답변, 놓쳤거나 잘못 이야기한 부분, 올바르지 않은 자세 등을 서로 검토해줄 수 있어 좋아요.
또한 실제 면접에서는 과목별로 평가를 받으므로 스터디 역시 과목이 다른 수험생끼리 구성해야 마음이 편할 거예요. 교과, 비교과, 문과, 이과, 예체능 등 다양하게 섞는 것이 좋아요. 단, 비교과는 전공 관련 문제가 두 문제 출제되기 때문에 같은 전공끼리 스터디를 하는 것도 추천해요. 같은 학교 사람들끼리 구성하는 것이 좋고, 교직 이수자여서 주변에 임용시험을 준비하는 분들이 없다면 인터넷 카페나 학원가에서 스터디를 모집하는 방법도 있어요.

### Q 02 스터디만 하면 될까요?

혼공과 스터디 비율을 적절히 섞어서 공부하여야 해요. 면접 이론을 학습하는 시간을 확보하고 면접 내용과 태도를 스스로 점검하는 것도 스터디를 하는 것만큼이나 중요해요.

**Q 03   스터디에서 어떤 식으로 피드백을 주고받는 것이 효과적일까요?**

우선, 단순히 좋았던 점이나 아쉬웠던 점을 개괄적으로만 피드백하는 것이 아닌, 답변 중 특히 어떤 내용이 좋았고 그 이유는 무엇인지 구체적으로 피드백을 주고받아야 해요. 피드백을 좋게 받은 부분을 살려 자신만의 면접 강점 포인트를 만들어 나가는 것이 좋아요. 아쉬운 점의 경우 어떤 식으로 답변하는 것이 더 좋을지 함께 답변을 발전시켜보는 과정도 필요해요. 또한 각 문항의 답변 시간도 서로 확인해주며 각 문항당 3분 내외의 답변 시간, 즉답형 및 추가질문 시 1분 이내의 구상 시간을 지킬 수 있도록 하세요. 비언어적인 부분을 피드백해주는 것도 중요해요. 제3자의 시선에서 어떤 모습이 보기에 좋지 않은지 확인해주고 이를 개선해 나갈 수 있어야 해요.

**Q 04   스터디를 대면으로 진행하기 어려운 상황인데, 비대면으로 진행하는 방법이 있을까요?**

대면으로 진행하기 어렵다면 온라인으로도 스터디를 진행할 수 있어요.

- **실시간 화상 통화를 통한 모의 면접:** 인사, 구상형 답변, 즉답형 및 추가질문 답변과정까지 대면으로 진행하는 면접과 유사하게 진행하면 돼요.
- **1:1 전화 문답 스터디:** 음성만으로도 실제 면접처럼 진행할 수 있어요. 다만, 서로 태도나 모습을 확인하기는 어려워요. 또는 책의 이론과 주제별 내용을 서로 묻고 답하는 스터디로 진행하는 것도 가능해요.
- **SNS 스터디:** 실시간으로 면접 연습을 하는 것이 어려우신 선생님들께서는 밴드(BAND), 인터넷 카페 등을 활용하여 스터디를 진행할 수 있어요. 면접 질문을 올리고, 이에 대한 답변을 댓글로 작성한 뒤 서로 대댓글로 피드백해주는 방법, 또는 답변을 녹화·녹음해서 올리는 방법 등으로 면접 준비가 가능해요.

## (3) 면접 답변

**Q 01   교직관은 어떻게 설정해야 할까요?**

교직관 관련 책을 읽거나, 교육 관련 다양한 기사·잡지 등을 읽는 것이 많은 도움이 돼요. 그리고 자신의 경험과 관련지어 생각해보는 것도 좋아요. 교직관과 관련해서는 〈이론편〉 Chapter 01-1. 교사: 교직관 단원을 통해 깊은 고민을 해보기를 바라요.

## ⓠ 02   구상형 개요는 어느 정도의 분량으로 구성하는 것이 좋을까요?

분량을 따로 정해두지 말고 구상 시간 15분을 활용하여 최대한 구체적으로 구성하는 것이 좋아요. 문제가 생각보다 어려운 경우, 본인이 미리 정해놓은 분량을 채우려고 하다 보면 뒤 내용이 부실해질 수도 있고, 최악의 경우 뒤 문제는 보지 못한 채 구상 시간이 끝날 수도 있기 때문이에요. 따라서 우선 구상형 두 문항이 각각 물어보는 내용과 가짓수를 확인한 뒤, 이에 맞게 각각 거시적으로 개요를 짜놓고, 남은 시간 동안 계속해서 살을 붙여가며 구체화해가는 것이 좋아요. 개요를 짤 때는 문장이 아닌 키워드를 활용하여 개조식으로 작성하고, 이를 바탕으로 답변하는 연습을 하여야 해요.

## ⓠ 03   문제점 2가지, 해결 방안 2가지를 물어보는 문제에는 어떻게 답변해야 하나요?
### (문제점 1, 2 → 해결방안 1, 2 또는 문제점 1 → 해결방안 1 → 문제점 2 → 해결방안 2)

문제 스타일에 따라 달라요. 예를 들어, *"A 상황의 문제점을 2가지 제시하고, B의 관점에서 A 상황에 대한 지도 방안 3가지를 제시하시오.(2019학년도 중등 구상형 1)"*와 같은 문항이라면 문제점 2가지를 말한 후 지도 방안 3가지를 제시하는 것이 좋아요. 반면, *"다음은 원격수업 상황에서 각 학생들의 상황이다. 교과교사로서 [사례 1~3]에서의 문제점과 해결 방안을 각각 말하시오.(2021학년도 중등 구상형 2)"*와 같은 문항이라면 사례 1에서의 문제점 및 해결 방안을 말한 뒤 사례 2의 문제점 및 해결방안, 사례 3의 문제점 및 해결 방안순으로 답변하는 것도 괜찮아요. 답변의 논리적인 전개에 문제가 없다면 어떠한 순서로 답변해도 큰 상관은 없을 거예요.

## ⓠ 04   (중등) 구상형 2문항은 "6분 이내"라고 안내되어 있는데, 6분이 지나면 바로 멈추어야 하나요?

6분 이내는 권고 사항이므로, 6분이 지난다고 해서 멈추라고 지시받거나 멈추어야 하는 건 아니에요. 15분 동안 5문항에 답변하여야 하기 때문에 한 문항 당(즉답형 및 추가질문은 구상하는 시간 포함) 3분 정도가 적당하나, 본인의 필요에 맞게 시간을 적당히 조절하여 답변하여도 괜찮아요. 15분을 어떻게 구성하고 활용할지는 전적으로 본인에게 달려 있어요.

**Q 05** 즉답형 및 추가질문에 대한 구상 시간은 어느 정도가 적당할까요?

30초 내외로 구상하면 좋고, 길어도 1분을 크게 넘기지 않는 것을 추천해요. 구상 시간을 길게 갖는다고 하여 감점되는 것은 아니지만, 그만큼 답변할 수 있는 시간이 줄어들기 때문에 꼭 답변하여야 하는 내용을 놓치거나 답변의 구체성이 떨어질 수 있어요.

그렇지만 구상을 대충 하고 답변을 제대로 하지 못하는 것보다는 구상 시간이 조금 길어지더라도 더 정확하고 좋은 답변을 하는 것이 훨씬 나으니, 구상 시간이 길어져도 걱정하거나 초조해하지 말고 집중력을 발휘하여 좋은 답변을 할 수 있도록 해보세요.

**Q 06** 즉답형 구상 시 답변이 빠르게 생각나지 않고 정리가 잘 되지 않는데, 어떻게 해야 할까요?

면접이라고는 하지만, 사기업의 면접과 다르게 임용면접은 정해진 문제와 그에 따른 답변을 보기 때문에 1차와 마찬가지로 우선 머릿속에 관련 지식이 있어야 무엇이든 답할 수 있어요. 따라서 빠르게 답변을 떠올리려면 이론 공부 시간을 늘려 각 주제별 내용을 많이 익혀놓는 방법밖에 없어요. 주제별로 어떤 것을 물어볼 수 있을지, 해당 주제가 나오면 어떤 이야기를 할 것인지 등을 미리 정하여 머릿속에 넣어두어야 해요. 평소에 전화 스터디나 밴드 스터디로 이론적인 부분을 공부해두고, 혼자 기출문제 등을 풀어볼 때 이를 적용하여 30초~1분 내로 빠르게 구조도를 짜보는 연습을 하는 것도 좋아요. 그리고 도저히 답변이 떠오르지 않는 경우 활용할 만능틀을 미리 정교하게 만들고, 이를 익혀놓는 것도 중요해요.

면접 스터디를 할 때는 최대한 실제와 비슷하게 진행하면서, 도저히 생각이 나지 않고 정리가 잘 되지 않더라도 일단 무조건 답변하는 연습을 하여야 해요. 실제 면접에서도 당일에 생각이 나지 않는다고 해서 말을 안 하면 안 되니까요. 그리고 스터디 이후 녹음·녹화 파일을 확인하여 어떻게 답변하는 것이 더 좋았을지 스스로 복기하는 시간을 꼭 가져야 해요.

**Q 07** 답변을 할 때 본인의 신상이 드러나면 안 된다고 들었는데, 경험 관련한 문제에서는 어느 정도까지 드러내도 되나요? (고향, 학교, 기간제 경험 등)

교육 실습이나 기간제 경험 여부는 교육 사례이므로 드러내도 괜찮아요. 그러나 그 외 고향의 지명, 출신 학교명, 특목고 등의 출신 학교 계열 등 구체적인 정보는 언급을 지양하세요.

**Q 08** 학생을 대상으로 한 시연을 요구하는 문제의 경우, 구체적인 학생 이름이 주어지지 않았다면 수업실연처럼 가상의 이름을 지정하여 답변해야 할까요?

구체적인 학생 이름이 주어지지 않은 경우 다짜고짜 임의의 이름을 설정하여 답변하면 면접관들은 순간 어리둥절해할 수 있어요. 따라서 먼저 *"학생의 이름을 'OO'이라고 가정하고 시연하도록 하겠습니다."*라고 언급한 뒤 답변하는 것을 추천해요.

**Q 09** 답변의 근거에 교육학 이론을 활용해도 되나요?

답변에 활용한 교육학 이론을 잘 알지 못하는 면접관이 있을 수도 있어요. 면접관들은 현직 교사이기 때문에 모두가 최근 1차 교육학 시험을 치른 수험생만큼 최신 교육학 이론에 익숙하지 않을 수 있거든요. 따라서 굳이 답변에 교육학 이론을 활용하기보다는 나의 교직관이나 답변에 대한 구체적 내용을 덧붙이는 것이 좋아요. 만약 교육학 이론을 기반으로 교직관을 설정한다면 교육학 이론의 내용은 간단히 설명하고, 이와 관련하여 본인의 가치관과 생각이 더 잘 드러나도록 답변하는 것이 좋아요.

**Q 10** 답변 시간이 남아도 될까요?

시간 내에 필요한 모든 것을 답변하였다면 시간이 남더라도 감점이 되지는 않아요. 시간을 초과한 경우에도 이미 답변하여야 하는 내용을 다 말하고 그 외 마무리에서 시간이 초과된 것이라면 감점의 정도가 크지 않아요. 다만, 시간 내에 답변하여야 하는 가짓수를 다 못 채우지 못하였다면 크게 감점이 되어요. 답변하여야 하는 내용과 구체적인 근거를 모두 말하였는데도 시간이 너무 많이 남았다면, 내가 말하는 속도가 너무 빠른 것은 아닌지 점검해보세요. 말의 속도도 적당한데 답변 시간이 남는다면 마무리로 교직관, 학생들의 성장 효과, 자신의 포부 등을 언급해보세요. 나에게 주어진 시간을 최대한 활용하는 것이 좋아요. 실전 연습을 통해 답변 시간을 맞출 수 있도록 해보세요.

**Q 11** 답변의 가짓수를 채우더라도 구체성이나 차별성이 부족하면 어떻게 되나요?

가짓수를 채워서 모두 옳은 답변을 한다면 안정적인 점수를 받을 수는 있어요. 다만, 무난한 내용으로만 이루어진 답변으로 고득점은 받지 못해요. 아주 작은 소수점 차이로도 당락이 결정되는 것이 임용시험이므로 2차 시험에서 1점이라도 더 받는 것이 중요해요. 특히 1차 점수가 커트라인에 가까웠던 분들은 구체성과 차별성을 살린 나만의 답변을 통하여 남들은 받지 못하는 1~2점을 더 받을 수 있도록 노력하여야 해요.

## (4) 면접 당일

### Q 01    면접 복장과 스타일은 어떻게 준비해야 할까요?

가장 선생님답고 깔끔한 복장은 정장이라고 생각해요. 정장의 사이즈는 크거나 작은 것보다 본인에게 딱 맞는 옷이 가장 좋아요. 다만, 1차를 준비하는 동안 체형이 변하였을 수 있으니 1차 결과 발표 후에 준비하는 것을 추천해요. 정장이 아니더라도 깔끔한 셔츠나 슬랙스, 여성의 경우 단정한 롱 원피스도 좋아요.

깔끔한 인상을 주기 위해 눈썹을 정리하거나 이마를 드러낼 수 있는 머리 스타일을 하는 것도 좋은 방법이에요. 긴 머리는 머리망과 실핀을 이용해 하나로 묶는 것이 좋아요. 메이크업은 깔끔한 인상을 주기 위한 정도로만 활용하세요. 일부러 아침에 일찍 일어나 숍에 다녀오실 필요는 없어요. 그 시간에 푹 자고 컨디션을 관리하는 것을 추천해요. 신발은 정장용 구두나 단화 같은, 굽 소리가 나지 않는 종류를 권해요.

**꿀팁** 면접 의상 대여 서비스 추천-'취업날개 서비스'

> 고교 졸업 예정자~만39세 이하 서울시 거주 청년이라면 취업날개 서비스(https://www.dressfree.net/main/main.php)를 통해 면접에 필요한 정장을 무료로 대여할 수 있습니다. 자세한 사항은 사이트를 참고하세요.

### Q 02    수업실연이나 면접 당일에 안경을 써도 괜찮을까요?

괜찮습니다. 오히려 평소에 안경만 쓰다가 당일에 갑자기 렌즈를 끼면 불편함을 느껴 시험에 집중하지 못할 수도 있어요. 렌즈나 안경 중 본인에게 더 편하고 잘 맞는 것을 착용하세요.

### Q 03    손목시계를 챙겨야 할까요?

시계가 없는 구상실도 있으므로 꼭 준비하세요.

### Q 04    면접 대기 중 자료를 볼 수 있나요?

관리번호를 뽑고 나서 면접 대기 중에는 메모나 자료 열람을 할 수 없어요. 따라서 아침 시간에 잠깐 훑어볼 수 있는 내용을 미리 정리해두었다가 관리번호를 뽑기 전에 보고, 대기 중에는 면접 주제를 생각하면서 어떻게 답변할 것인지 내용을 구체화하는 작업을 하세요.

## Q 05    면접관을 어떻게 대해야 할까요?

- **면접관을 대하는 태도:** 면접관도 사람이기 때문에 면접관과 상호작용을 하는 것이 중요해요. 너무 경직된 자세로 내가 준비한 답변만 이야기하는 것이 아니라, *"내가 이런 생각을 하고 있어요. 한번 들어주실래요?"*라는 마음가짐으로 편하게 전달하면 좋아요. 그러면 대화하듯이 눈 맞춤, 끄덕임 등이 자연스럽게 나오고, 면접관들도 자연스럽게 선생님의 이야기에 집중할 수 있을 거예요.
- **면접관의 필기·체크:** 면접관의 필기·체크 여부는 고사실마다 달라요. 어떤 면접관은 답변을 듣고 체크만 하기도 하고, 답변 내용을 적기도 하고, 아무런 체크도 하지 않고 듣기만 하기도 해요. 이는 면접관이 채점을 하는 방식일 뿐, 직접적인 감점이나 가점의 표현은 아니라고 생각해요. 그러니 면접관이 앞에서 무언가를 체크해도 신경 쓰지 말고 자신의 답변을 잘 이야기하는 데 집중하는 것이 중요해요.

## Q 06    면접 당일 Tip 몇 가지 알려주세요!

면접 당일에 시험장에 일찍 도착하면 대기실, 구상실, 평가실이 어떻게 생겼는지 미리 확인할 수 있어요. 시험장에서 당황하지 않도록 미리 도착하여 구조를 확인해보세요. 그리고 발표 불안 증세가 있거나 많이 긴장하시는 분들은 청심환이나 병원에서 처방받은 인데놀 등을 복용해두면 좋아요. 시험 전에 비슷한 상황에서 미리 복용해보고 부작용이 없는지 살펴보시기를 바라요.

**합격 시그널 카페**

면접 준비 중 궁금한 점이 생기면 언제든지 카페 Q&A 게시판에 질문을 올려주세요.
저자들이 직접 질문에 답변해 드릴게요.

## ✦ 불안 다루기

불안은 나에게 익숙하지 않은 상황에서 커지는 감정입니다. 이러한 불안을 효과적으로 다루기 위하여, 시험장에서 발생할 수 있는 다양한 돌발 상황을 그려보고 그때 어떻게 할 것인지 미리 생각해보면 어떨까요? 이렇게 하면 시험장에서 어떠한 상황이 발생하여도 당황하지 않고 침착하게 대응할 수 있습니다. 아래에 발생 가능한 여러 예시 상황들을 적어두었으니 참고해보세요!

### | 대기 중 |

- 가장 앞 번호/마지막 번호로 면접을 진행한다면?
- 면접 보기 전 머리, 화장, 옷 등이 망가진다면?
- 면접 보기 직전, 화장실이 급하다면?
- 앞 번호 수험생이 면접실에 들어가고 나면 나는 대기실에서 어떤 생각을 하여야 할까?

### | 구상실 안 |

- 구상지를 보았는데 머릿속이 새하얘졌다면?
- 구상형 1번을 열심히 풀었는데 구상 시간이 5분밖에 남지 않았다면?
- 구상형 두 문제 모두 잘 모르겠다면?
- 구상형 문제가 내가 정말 잘 준비했던 주제라면?
- 구상형 문제가 나오지 않을 것이라고 생각하고 넘겼던 부분에서 출제되었다면?
- 구상형 문제를 하나도 풀지 못하고 면접장에 들어갔다면?

### | 면접 중 |

- 면접장 문을 노크하기 전에는 어떤 생각을 하여야 할까?
- 인사를 하였는데 목소리가 갈라졌다면?
- 인사를 하였는데 면접관들 표정이 좋지 않다면?
- 면접장에서 구상지가 보이지 않는다면?
- 말이 꼬여서 버벅거렸다면?
- 답변을 하던 중에 방향을 잘못 잡았다는 것을 깨달았다면?
- 연습 때 했던 실수를 똑같이 하였다면?
- 추가질문을 들었는데 잘 모르겠다면?
- 즉답형 파일을 넘겼는데 잘 모르겠다면?
- 구상형 2번 문제에 답변을 마쳤는데 시간이 얼마 남지 않았다면?
- 답변을 마친 후 시간이 많이 남았다면?

## ☆ 나를 믿어주고 칭찬하기! "난 이미 교사다!"

시험을 준비하다 보면 자신의 약점만 보게 되지 않나요? 그럴 때는 교육심리학에서 배웠던 자기충족적 예언을 떠올려보세요. 학생들을 잠재력 있는 대상으로 바라봐주는 선생님들! 학생뿐만 아니라 선생님 자신도 잠재력 있는 대상으로 바라봐주면 어떨까요?

나에게 힘이 되는 말 적기!

_____

_____

_____

_____

_____

_____

_____

_____

_____

_____

_____

_____

_____

_____

선생님들! 학교 현장에서 만나요~

S
I
G
N
A
L

합격 시그널

# 더 질 높은 학교교육

**교사**

# 01 교직관

#학생관 #학교관 #교육관 #학생의 입장 #전문성 #적응 #존중
24 중등 교과·비교과 즉답 추가, 23 중등 교과·비교과 즉답 추가, 23 초등 즉답, 21 중등 교과·비교과 즉답, 21 초등 즉답, 20 중등 비교과 구상, 20 중등 교과·비교과 즉답, 20 초등 즉답 추가, 19 중등 교과·비교과 즉답, 19 초등 즉답·즉답 추가

**Intro**

교직관 설정이 면접에서 가장 중요하다는 말, 많이 들어보셨죠? 학교 현장은 순간순간 많은 선택으로 좌우됩니다. 오늘 지각 체크를 해야 하는지부터 학생들의 사소한 다툼 중재, 학교폭력, 서술형 평가 방법 등등 선택의 연속이라고 해도 과언이 아닙니다. 이 선택들은 내가 세워두었던 교직관에 따라 달라 집니다. 따라서 동료 교사를 뽑는 면접에서도 다양한 상황에서 적절한 선택을 할 수 있는 교사인지를 알아보기 위해 교직관에 관한 질문을 당연히 하겠죠! 직접적으로 교직관과 연계하라고 명시되어 있는 문제도 출제되지만, 직접 언급하지 않아도 답변에서 교직관을 자연스럽게 이야기하도록 출제되는 문제 도 있습니다.

그렇다면 이처럼 중요한 교직관! 어떻게 설정해야 할까요? 책·영상·기사 등을 통해 마음에 드는 것 들을 수집해볼 수도 있고, 내가 전에 가지고 있던 좋은 생각들을 활용할 수도 있습니다. 이 모든 과정을 〈문제편〉'특별부록–나만의 답변 만들기 : 워크시트'에 담았으니 활용해주세요~ 그동안 잊고 있었던 나의 마음들을 떠올려보고, 면접 준비를 하는 동안 교직관과 관련된 생각이 나면 워크시트에 채워 넣으 면서 교직관을 확립해보세요!

교직관은 어떤 방식으로든 표현 가능합니다. 내가 교직에 임하는 자세를 한 문장, 한 단어로 표현할 수도 있습니다. 정 기억이 나지 않는다면 "교사는 ~하는 존재입니다. 제 교직관은 ~ 하는 교사입니다" 라고 이야기하면 됩니다.

## ① 교직관

(1) **정의**: 교원이 교직을 지각하고 인식하는 관점(인지적·정의적 영역 포함)

　① 학생에게 교사가 어떤 존재여야 하는지, 교사로서 어떤 마음가짐을 가지고 있는지 등 교사의 역 할·태도 전반을 의미(학생·학부모·교육과정 등에 대해)

　② 유의어: 교육철학, 교육신념, 교육관, 교육사명감 등

　　➡ 교직관이라는 용어 말고도 위와 같은 유사한 용어로도 문제가 출제될 수 있습니다.

(2) **교사의 자질·덕목**

책임감, 존중, 성실, 믿음, 열정, 창의성, 자기관리, 개방성, 융통성, 전문성 함양, 전공에 대한 지식, 나눔, 배려, 예의, 정직, 협력 등

(3) **교사의 역량**

의사소통, 공감, 문제해결, 전공지식, 생활교육, 상담, 갈등관리, 자문 등

### (4) 학교관

학교란 어떤 공간이어야 하는지, 학교에서는 어떤 것을 배우고 가르쳐야 하는지 등

### (5) 학생관

학생을 어떠한 존재로 바라봐야 하는지, 학생은 어떤 것을 배워야 하는지 등

## ② 교원의 권리와 의무

### (1) 교원의 권리

① 조성적 권리 : 자율성에 관한 권리(전문직이기 때문에 직무를 수행할 때 자율성 보장), 생활 보장 (교원 보수와 관련), 근무조건의 개선, 복지후생제도의 확충

② 법규적 권리 : 신분 보장, 쟁송 제기, 불체포 특권, 교직단체 활동권

### (2) 교원의 의무

① 적극적 의무(해야 하는 것)
- 교육 및 연구 활동의 의무 : 교직을 성실히 수행하기 위해 항상 연구해야 함
- 선서, 성실, 복종의 의무 : 직무수행 시 상관에 복종해야 함
- 전문직으로서 품위 유지의 의무
- 비밀엄수의 의무

② 소극적 의무(하면 안 되는 것)
- 정치활동 금지 의무
- 집단행위의 제한 : 노동 3권 행사 금지
- 영리업무 및 겸직 금지

### (3) 서울 교원 역량

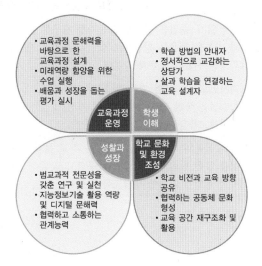

**교사**

# 교사 지원

#공동연구 #공동실천 #공동성찰 #학교 안 교원학습공동체 #학교 간 교원학습공동체 #교육활동 침해행위
#교육활동 보호
24 중등 즉답, 21 초등 즉답

**Intro**
서울시교육청에서는 '전문적 학습공동체'를 '교원학습공동체'라는 정책적 용어로 사용하고 있어요. 이는 교원들의 자발적인 연구문화를 조성할 수 있도록 지원하며 학교 현장에서 매우 활성화되어 있어요. 본인이라면 어떤 교원학습공동체에 참여할지, 그 속에서 어떤 역할을 수행할지 생각해보세요.
한편, 최근 교원의 교육활동 침해에 대한 경각심이 많이 높아졌어요. 교사로서 교육활동을 보호받고, 교육공동체 모두가 안심하고 교육활동에 전념할 수 있는 환경을 조성하기 위해서 어떤 노력을 할 수 있을지 생각해보세요.

## ① 교원학습공동체

### (1) 정의

교육공동체의 성장을 위하여 공동의 가치와 비전을 가지고 함께 공동연구·공동실천·공동성찰을 하며 전문성을 신장시켜 나가는 교원들의 자발적·협력적 학습공동체

### (2) 분류

① 학교 안 교원학습공동체 : 교원학습공동체 활동을 희망하는 학교 내 교원 3인 이상이 모이면 누구나 가능하며 '교육과정 재구성', '수업·평가', '생활교육' 세 가지 영역 중 선택하여 운영

| 영역 | 교원학습공동체 주제 예시 |
|---|---|
| 교육과정 재구성 | • '온 책 읽기' 수업을 활용한 교육과정 재구성<br>• 몸과 마음을 깨우는 활동으로 학년 교육과정 재구성<br>• 효과적인 전환기 교육과정 운영 |
| 수업·평가 | • 세계시민교육을 통한 소통 및 공감능력 증진<br>• 융합수업을 통한 자유학기제 수업 개선<br>• 혁신미래교육을 위한 에듀테크 연구 |
| 생활교육 | • 존중과 돌봄의 학급 운영, 평화로운 학교 문화 조성<br>• 놀이를 통한 협력적 학급공동체 구성<br>• 회복적 정의에 기반한 생활교육 혁신 |

② 학교 간 교원학습공동체 : 여러 학교의 교원들이 모여 학습하는 모임으로, 특정 주제를 집중적으로 탐구하거나 여러 교육정책을 모니터링하고 제안하며, 각 학교의 혁신 사례를 공유하는 등 학교 안 교원학습공동체와 다른 범위의 활동을 함

## (3) 목적

① 참여 교원들이 공동으로 연구하고 실천하여 교육과정, 수업·평가, 생활교육 영역을 개선함으로 써 학생의 전인적 성장을 도움

② 장기적인 비전을 가지고 동료 교원들과 함께 지속적으로 공부하고 적용하는 경험을 공유하며, 전 문적 교원으로서 같이 성장하는 경험 제공

③ 동료들과 자율적이고 협력적인 활동을 통해 동료성을 확대하여 민주적으로 소통하는 학교 문화 실현

## (4) 활성화 방안

① '교원학습공동체의 날' 운영 등 정기적인 활동일 또는 활동 시간을 지정하여 교원학습공동체 활동 시간 보장

② 온라인 플랫폼 등 다양한 방식을 활용하여 교원학습공동체의 활동 내용이나 예산 사용 등 활동 과정에 대해 상시 소통

③ 공동연구-공동실천-공동성찰의 과정을 담아 운영 계획을 세우고, 정기적이고 지속적으로 협의 및 만남 추진

| 단계 | 과정 | 세부 내용 |
|---|---|---|
| 공동 연구 | 공동체가 인식하는 문제를 함께 연구하기 | • 주제 관련 책 읽기, 강의 듣기, 기관 탐방<br>• 재구성을 위한 교육과정 분석<br>• 교육과정 재구성 설계 및 운영 협의<br>• 교육과정과 연계한 수업 구성<br>• 주제 관련 공동 수업안 설계 |
| 공동 실천 | 공동연구 과정에서 탐구한 내용을 교육활동에 적용하기 | • 주제 관련 수업 공개 및 수업 참관<br>• 과정 성찰 및 분석<br>• 학생 일과시간에 학생과 함께하는 것이 원칙 |
| 공동 성찰 | 평가와 피드백하기 | • 수업 참관 후 수업 협의회 진행<br>• 수업 분석 공유<br>• 교육과정 운영 결과 나눔<br>• 교원학습공동체 간 공유 |

## ② 교원의 교육활동

➡ 교육활동 침해행위가 발생했을 때 초기 대응방법을 알아보고, 교육활동을 보호 · 지원하는 제도들을 살펴보세요.

### (1) 교육활동 침해행위

① 개념: 「교원지위법」은 교원 보호의 궁극적인 목적이 교육활동 보호에 있음을 밝히기 위해 '교권 침해행위' 대신 '교육활동 침해행위'라고 명명하였음

> '교권 침해행위' 대신 '교육활동 침해행위'라고 명명한 까닭
> • '교육활동 침해행위'를 규정하기 전에는 '교권 침해'라는 용어가 보편적으로 사용되었지만, 일부에서는 '교권' 이라는 개념을 학생 · 학부모의 권익과 상충되는 개념으로 여겨 '교권 보호'에 반대하기도 했기 때문
> • 교육활동 침해행위로 인해 교육활동을 하는 교원이 보호받지 못하면서 학생들의 교육활동 또한 보호받지 못하는 결과가 초래되었기 때문

② 주체: 고등학교 이하 각급 학교의 학생 또는 그 보호자 등

③ 유형: 공무방해, 무고, 상해와 폭행, 협박, 명예훼손, 모욕, 손괴, 성폭력범죄행위, 불법 정보유통 행위, 목적이 정당하지 아니한 민원을 반복적으로 제기하는 행위, 교원의 법적 의무가 아닌 일을 지속적으로 강요하는 행위, 정당한 생활지도에 불응하여 의도적으로 교육활동을 방해하는 행위 등

④ 교육활동 침해행위에 대한 조치 심의 · 의결: 2024년부터 학교교권보호위원회에서 '지역교권보호위원회'로 이관하여 처리

⑤ 피해 발생 시 초기 대응 요령: 침해행위 중단 요청, 동료 교사 및 주변 교사에게 도움 요청, 관리자 또는 담당자에게 신고, 가해자와의 즉시 분리조치에 대한 의사확인서 제출, 가능한 경우 증거 자료와 목격자 관련 정보를 업무 담당자에게 전달

### (2) 교육활동 보호 · 지원 제도

① 1교 1변호사제(우리학교변호사): 우리학교 교육활동 관련(학교폭력, 학교안전사고, 교육활동 침해 등) 분쟁 및 학교 행정절차에 대한 법률 자문, 교육활동 보호 관련 교직원 연수 등을 지원

② 교육활동보호지원단 운영: 교육활동 보호 및 갈등 예방을 위한 원스톱 지원 서비스로, 교원의 '초기 상담－지원 · 화해－사후 관리' 통합 지원

③ 교육활동 보호 신속대응팀(SEM119) 운영: 교육활동 보호 업무를 담당하는 장학사 · 주무관 · 변호사 · 교육활동보호지원단으로 구성되어, 교육활동 보호가 필요한 사안이나 교원 대상 아동학대 신고 등을 원스톱 지원

④ 교원안심공제 서비스: 긴급호출을 통한 위협대처 보호 서비스, 분쟁조정 서비스, 소송비용 지원, 배상책임 지원, 치료비 및 심리상담 지원 등

⑤ 서울특별시교육청 교육활동보호센터 운영: 지원사항 안내, 심리상담, 법률상담

# 03 교육과정 – 수업 – 평가 혁신

#함께 만들어가는 교육과정 #교사 교육과정 #2022 개정 교육과정 #배움 중심 수업 #수업나눔카페 #생각을 키우는 교실 #생각을 쓰는 교실 #수업·평가나눔교사단 #신학년 집중 준비기간 #과정중심평가 #한국형 바칼로레아
23 중등 구상, 22 초등 구상, 21 초등 구상, 20 초등 구상, 19 초등 구상

**Intro**

> 학생들의 전인적 성장을 돕기 위해서는 학생들에게 제공되는 교육에 변화가 있어야 합니다. 이를 위해 우리는 교육과정을 분석하여 재구성하고, 재구성한 교육과정에 따라 더 많은 배움이 일어날 수 있는 수업을 연구하고, 이 수업이 제대로 이루어졌는지 확인하기 위한 평가를 실시해야 해요. 즉, 교육과정 – 수업 – 평가의 연계성이 강화되고 선순환하면서 교육 혁신을 이뤄낼 수 있습니다. 따라서 이번 단원에서는 이 부분에 초점을 맞추어, 혁신을 위한 방안과 교사로서 역량을 강화하는 방안을 살펴보도록 할게요.

## 1 필요성

(1) 급변하는 교육환경에 대응하기 위해 일상적 교실수업 상황에서도 지속 가능한 에듀테크 활용 혼합 수업, 역량 성장을 위해 교과의 벽을 허무는 교과융합 프로젝트 수업, 쓰기 중심 수업 등 새로운 수업 방법에 따른 교육환경 구축과 교사의 수업·평가 전문성 제고가 요구됨

(2) '모두의 탁월성(Excellency for All)'을 위한 교육, 즉 학습자 모두가 각자의 탁월성(잠재력)을 발견하고 이를 기를 수 있도록, 학생의 배움과 성장을 돕는 개별화 맞춤형 수업·평가 운영에 대한 교육적 요구가 높아짐

## 2 교육과정 혁신

(1) **방향**: 학교에서 만들어가는 교육과정

➡ 기존 상명하달식의 교육과정이 아닌, 교육 주체들이 직접 구성·재구성하는 방식으로 교육과정을 혁신할 수 있어요. 나라면 어떻게 교육과정을 재구성할지 한번 고민해보세요.

(2) **실천 방안**

① 학생들이 교육 주체로서 교육과정과 학교 교육활동의 계획·실행·평가과정에 참여

② 학생의 흥미와 적성에 따라 교과를 구성할 수 있도록 다양한 선택 교육과정 제공

③ 수업 중에 이루어진 성과나 평가를 통해 얻은 자료를 토대로, 학생들의 수준과 수업 현실을 고려하여 학습 내용과 분량을 덜고 더하며 교육과정 재구성

④ 주제통합, 교과융합 등 다양한 방식의 교육과정 재구성을 통해 학교와 학생 여건에 맞도록 함께 만들어가는 교사 교육과정[*] 운영

[*] 교사 교육과정: 국가 · 지역 · 학교 교육과정과의 공동체성과 교사의 철학을 기반으로, 학생과 교사가 함께 만들어가는 교육과정

### (3) 교육과정 혁신을 위한 학교급별 교육과정

① 초등학교

➡ 'Chapter 01-04. 초등 특화 정책' 참고

- (초1~2) 안정과 성장 맞춤 교육과정, '꿈잼교실': 기초 · 기본교육 강화, 안정과 성장이 있는 즐거운 수업(놀이 및 신체활동, 한글교육, 언어 · 수리 기초소양 강화)
- (초3~6) 창의 · 공감 교육과정, '우리가 꿈꾸는 교실': 학생의 주도성을 키우는 참여형 · 협력적 수업을 위한 교육과정 재구성

② 중학교: 학생 · 학부모 · 교사의 요구 및 필요와 학교 특색을 반영한 자율적 교육과정

③ 고등학교: 학점제형 교육과정

---

**2022 개정 교육과정**

1. 비전: 포용성과 창의성을 갖춘 주도적인 사람
2. 추구하는 인간상
   (1) 전인적 성장을 바탕으로 자아정체성을 확립하고 자신의 진로와 삶을 스스로 개척하는 자기주도적인 사람
   (2) 폭넓은 기초능력을 바탕으로 진취적 발상과 도전을 통해 새로운 가치를 창출하는 창의적인 사람
   (3) 문화적 소양과 다원적 가치에 대한 이해를 바탕으로 인류 문화를 향유하고 발전시키는 교양 있는 사람
   (4) 공동체의식을 바탕으로 다양성을 이해하고 서로 존중하며, 세계와 소통하는 민주시민으로서 배려와 나눔 · 협력을 실천하는 더불어 사는 사람
3. 핵심 역량: 자기관리 역량, 지식정보처리 역량, 창의적 사고 역량, 심미적 감성 역량, 협력적 소통 역량, 공동체 역량
4. 학교급별 교육 목표
   (1) 초등학교: 학생의 일상생활과 학습에 필요한 기본 습관 및 기초 능력을 기르고 바른 인성 함양
   (2) 중학교: 초등학교 교육의 성과를 바탕으로, 학생의 일상생활과 학습에 필요한 기본 능력을 기르고, 바른 인성 및 민주시민의 자질 함양
   (3) 고등학교: 중학교 교육의 성과를 바탕으로, 학생의 적성과 소질에 맞게 진로를 개척하며 세계와 소통하는 민주시민으로서의 자질 함양
5. 주요 개정사항
   (1) 미래 사회에 대응할 수 있는 능력과 기초 소양 및 자신의 학습과 삶에 대한 주도성 강화
   (2) 학생들 개개인의 인격적 성장을 지원하고 구성원 모두의 행복을 위해 공동체의식 강화
   (3) 학생들이 자신의 진로와 학습을 주도적으로 설계하고, 적절한 시기에 학습할 수 있도록 학습자 맞춤형 교육과정 마련
   (4) 학생이 주도성을 기반으로 역량을 기를 수 있도록 교과 교육과정 마련
6. 적용 시기: (2024) 초1~2 → (2025) 초3~4, 중1, 고1 → (2026) 초5~6, 중2, 고2 → (2027) 중3, 고3

---

## ③ 수업 혁신

**(1) 방향** : 배움 중심 수업

⟫ 강의식 수업에서 벗어나 학생 참여 중심 수업으로 수업을 혁신할 수 있어요. 아래에 제시된 예시 외에도 다양한 방안으로 수업의 혁신을 이끌 수 있답니다.

**(2) 실천 방안**

① 학생 스스로 '생각하고, 말하고, 표현할 줄 아는' 독서-토론-글쓰기 수업

② 학생과 교사가 함께 만들어가는 주제 중심 프로젝트 수업

③ 에듀테크를 기반으로 한 온·오프라인 혼합 수업

④ 학생의 삶과 연계한 협력적 융합 수업

⑤ 학생들의 수준, 흥미, 관심, 능력 등에 따른 맞춤형 수업

⑥ 인공지능 기반 학습 튜터링(진단&학습)을 통한 개별화 수업

**(3) 교사 역량 강화 방안**

① 수업나눔카페*를 활용한 교사 간 수업 분석 및 성찰, 수업·평가방법 개선 자료 공유 등

  * 수업나눔카페: 학교의 유휴 공간을 리모델링하여 교사들이 교육과정, 수업 및 평가 등에 대한 정보를 상시적으로 공유하고 성장할 수 있는 공간. 수업 분석 및 성찰, 수업·평가방법 개선 자료 공유, 학생 생활지도에 대한 고민 나눔 등에 활용 가능

② 초등수업연구실천교사제*, 교육지원청 단위 '수업·평가나눔 교사단' 등에 참여하여 공동 연구 및 설계안 마련·실천

  * 초등수업연구실천교사제: (대상) 수업 혁신과 수업나눔에 열망 있는 초등교사 220명이 (방법) 학교 및 지원청 단위 정기적 수업 공개 및 수업 사례 나눔을 통하여 (내용) 2022 개정 교육과정의 역량 함양을 위한 깊이 있는 학습의 수업 연구로 (목적) 학생 참여형 수업 활성화 지원

③ 장학 활동, 학교 간/안 교원학습공동체 참여를 통한 수업나눔 및 수업공개 활성화

④ 교육청에서 주최하는 '나눔·성장 수업나눔 한마당'* 참여

  * 나눔·성장 수업나눔 한마당: '수업·평가나눔 교사단', '교원학습공동체'의 수업·평가혁신 사례와 서울학생 미래역량 성장 수업에 대한 탐구 결과를 공유하는 수업나눔의 장(場)

⑤ 생각을 키우는 교실, 생각을 쓰는 교실 등 서울형 수업·평가 혁신 모델 활용

---

**서울형 수업·평가 혁신 모델**

1. **(초) 생각을 키우는 교실** : 교육과정-수업-평가 연계를 바탕으로, 비판적인 사고력과 창의적인 생각을 키우는 초등 수업·평가 혁신 방안

2. **(중·고) 생각을 쓰는 교실** : 학생 스스로 질문하고 탐구하며 생각을 쓰는(표현하는) 과정을 통해 비판적·창의적으로 생각하는 힘을 기르는 중등 수업·평가 혁신 방안

   (1) 의미
   - 생각 : 자율적·능동적 질문과 탐구를 통한 새로운 가치 창출
   - 쓰는 : 자신의 생각과 의견을 논리적으로 제시하며 소통·공유
   - 교실 : 다양한 생각이 공존하며 서로 존중하는 협력적 학습의 장

   (2) 과정 : 질문 만들기 → 탐구하기 → 쓰기

---

⑥ 신학년 집중 준비기간을 활용한 수업혁신 기반 마련

> **신학년 집중 준비기간**
> 1. 정의 : 신학년이 시작되기 전 학교별로 교육비전을 공유하며, 학교 자체평가를 바탕으로 학교 교육활동을 위한 교육과정 운영, 교과별 수업 · 평가, 교과 간 융합수업 운영계획 등을 수립하는 시간
> 2. 운영 기간 및 참석 대상 : 2월 중 3~5일 범위 내에서 운영, 전입 교원 포함한 전체 교원
> 3. 운영 내용
>    (1) 학교 교육철학 및 비전 공유를 통한 학교 교육계획 수립
>    (2) 교과별 교육과정 분석, 학생 참여 중심 수업 · 과정 중심 평가계획 수립
>    (3) 수업 · 평가 개선 중심의 교과협의회 및 교원학습공동체 운영계획 수립
>    (4) 교육 회복, 학습 격차 해소 방안 등에 대한 논의

## ④ 평가 혁신

(1) **방향** : 학생의 배움과 성장을 돕는 과정 중심의 평가

평가는 선발과 분리를 위한 기능보다는 학생들의 성장과 발달을 돕는 것이어야 하며, 수업과 의미 있게 연계되고 학생들이 수업활동에 참여하도록 돕는 평가의 본질적 기능을 통해 교육과정과 수업 · 평가가 순환적 관계를 이루도록 해야 함

(2) **평가 패러다임의 전환**

① 지식 중심에서 역량 중심 평가 체제로의 전환

② 상대평가에서 학생 성취 중심 절대평가로의 전환

③ 결과 중심에서 과정 중심, 피드백 중심 평가로의 전환

④ 일회적 평가에서 데이터 기반 포트폴리오 평가로의 전환

(3) **실천 방안**

① 성취기준에 근거하여 학교에서 중요하게 지도한 내용과 기능을 평가하고, 교수 · 학습과 평가 활동이 일관성 있게 연계되도록 함

② 학습의 결과뿐만 아니라 학습의 과정도 평가하여 모든 학생이 교육 목표에 성공적으로 도달할 수 있도록 하고, 학생의 인지적 능력과 정의적 능력에 대한 평가가 균형 있게 이루어질 수 있도록 함

③ 각 교과의 성격과 특성에 적합한 평가방법을 활용하되, 서술형과 논술형 평가 및 수행평가의 비중을 확대하여 학습 내용의 심층적 이해 능력과 실제적 맥락에서의 적용 및 활용 능력을 평가

### (4) 교사 역량 강화 방안

① 학생평가 실천 능력 배양을 위해 매달 세 번째 토요일에 실시하는 교육청 주관 교원 직무연수인 '학생평가 매세토 아카데미' 참여

② '수업·평가나눔 교사단'과 연계한 '나도 수업·평가 전문가' 직무연수 참여

③ 교육청에서 운영하는 학생평가지원단 참여

④ 맞춤형 학생평가 컨설팅 참여

⑤ 학생평가지원포털 참고(http://stas.moe.go.kr)

 **Comment**

> 서울시교육청에서는 질 높은 공교육 실현을 위해 국제 공인 교육 프로그램인 국제 바칼로레아(IB)를 교육현장에 적합하게 연구·운영하여 '한국형 바칼로레아(KB)'를 구현하는 방안을 모색하고 있어요. KB는 학생의 미래 핵심 역량을 키우는 교육과정·수업·평가의 연구 및 실천을 위한 것으로, 이번 단원과 밀접하게 관련이 있으니 꼭 알아두도록 하세요.

---

**한국형 바칼로레아(KB) – 서울 미래형 학교교육 체제**

1. 필요성
   (1) 미래를 살아갈 힘을 기르는 교육혁신의 체계화·가속화를 위한 정책적 전환점 마련에 대한 요구 증대
   (2) 획일적인 주입식 지식 교육에서 비판적·창의적 사고력을 신장하는 교육으로의 변화 요구 증대
   (3) 2022 개정 교육과정의 현장 안착을 위해 학교의 자율적 교육과정 운영 역량 강화에 대한 요구 대두
   (4) 국제적 소통·협업을 통해 세계와 함께하는 교육변혁을 위한 국제 공인 교육 프로그램 연구·도입 필요

2. 개념
   (1) 국제 바칼로레아(IB · International Baccalaureate) : 비영리 국제 교육재단인 IB에서 1968년부터 운영·발전시켜 온 국제 공인 교육 프로그램. 미래사회를 함께 살아가는 주도적인 평생 학습자를 기르는 학교교육 체제와 개념[*] 기반 교육과정 및 역량·탐구 중심 수업·평가를 특징으로 함. 전 세계 총 200여 개국 중 160개국 5700여 교에서 운영하고 있음(2024년 2월 기준)
      [*] IB에서의 '개념' : 특정한 기원, 주제, 시대에 국한되지 않고 지속적인 중요성을 지니는 보편적인 원리 또는 관념
   (2) 한국형 바칼로레아(KB) : 학생의 미래 핵심 역량을 키우기 위해 학습자 주도성 및 비판적·창의적 사고력 신장 중심의 학교 교육과정·수업·평가를 운영하는 서울 미래형 학교교육 체제로, ① 미래 역량 중심 교육과정 ② 학습자의 자기 주도적 성장을 추구하는 탐구형 수업 ③ 생각하고 표현하는 힘을 키우는 논·서술형 평가 체제 ④ 교수·학습 중심의 협력적 학교 운영을 포함하는 총체적 개념

3. 추진 로드맵 : 서울시교육청에서는 2027~2028년 KB를 모델화하는 것을 목표로 2024~2026년 KB 기반을 강화하고 있음

# 04 초등 특화 정책

#안성 맞춤 교육과정 #창의·공감 교육과정 #꿈잼 #꿈실 #꿈놀

**Intro**

이 파트는 주로 초등 선생님들이 보셔야 할 파트입니다. 전반적인 교육과정은 수업실연 때 주로 확인하실 테니 이 파트에는 서울시교육청의 초등 특화 정책이나 제도를 수록하였습니다. 문제로 출제될 수도 있고, 답변으로도 구상하실 수 있으니 용어와 익숙해진 후 교육과정과 연계한 답변을 구상해보세요.

## 1 (초1) 유치원-초등학교 전환기 학교 적응활동

입학 초기 적응활동 자료 <행복한 학습자로의 첫 걸음>(교사 지침서): 국어 및 통합교과 연계 입학 초기 적응활동 운영, 관계성 및 심리·정서 안정을 위한 놀이·친교활동 수록

## 2 (초1~2) 안정과 성장 맞춤 교육과정

### (1) 정의

유아교육과 연계한 교육환경 조성으로 정서적·신체적 안정과 발달 단계에 맞는 인지적·관계적 성장을 지원하는 초1~2학년 학생 맞춤형 교육과정

### (2) 내용

① **정서적 안정**: 친절하고 편안한 교실 환경을 위한 교육활동

② **신체적 안정**: 신체적 발달을 돕는 다양한 교육활동

③ **인지적 성장**: 기초 기본교육과 공부하는 방법을 익히기 위한 교육활동

④ **관계적 성장**: 친구와 소통하고 자연과 만나는 교육활동

⑤ **통합적 감각활동**: 성장 발달단계에 맞는 감각 활용, 조직 및 체험을 통한 통합적 교육활동
   예 손과 눈의 협응놀이, 균형감각 기르기, 단계별 선 그리기, 듣고 보고 느낀 점 표현하기

⑥ **협력적 놀이학습**: 놀이를 통한 학생의 호기심과 탐구 의욕을 자극하는 활기찬 수업
   예 재미있는 말놀이, 책과 노니는 협력놀이, 몸으로 익히는 수놀이, 감각으로 체험하는 계절놀이

**42** · Chapter 01 더 질 높은 학교교육

(3) 예시

탄탄한 기초를 위한 한글교육, 언어·수리 기초소양 강화, 탐구질문으로 능동적으로 수업에 참여하고 실생활과 연계한 주도적 탐구와 학습 경험으로 깊이 있는 학습 실현, 안정과 성장을 위한 놀이 및 신체활동 기회의 충분한 제공

(4) 관련 사업 : 꿈잼교실

정서적·신체적 안정과 인지적·관계적 성장을 위해 통합적 감각활동, 협력적 놀이학습 등의 학생 맞춤교육을 실천하며 동학년 교사들과 교육과정을 재구성하여 학생들이 재미있게 꿈을 키우는 교실

## 3 (초1~2) 기초학력 협력강사 운영

(1) 초1~2학년 국어, 수학시간 담임교사와 협력수업 또는 보조수업 실시

(2) 담임교사와 수업 협의 및 긍정적 협력관계, 학생 개별 특성을 고려한 맞춤형 피드백과 보정 지원, 모둠활동 및 수업 중 과제 점검, 과정 중심 평가 등 협력 지원, 학생과 긍정적 관계 맺기를 통한 칭찬·격려 등 학습동기 부여

## 4 (초3~6) 창의·공감 교육과정

(1) 정의

창의성, 공존 및 감성을 바탕으로 인공지능, 기후 변화 등 불확실성이 증가하는 미래 사회에서 자기주도적으로 살아갈 수 있는 힘을 키우는 초3~6학년 맞춤형 교육과정

(2) 내용

① 창의 : 새롭고 독창적인 아이디어와 가치를 창출하고 책임감 갖기

② 공감('공존+감성') : 함께 어울려 살아가기, 아름다움을 느끼며 소통하고 배려하기

(3) 예시

① 학생의 주도성을 키우는 참여형·협력적 수업 : 학생이 능동적으로 수업에 참여하고 학습 내용을 실제적 맥락 속에서 활용할 수 있는 프로젝트 수업 활성화, 토의·토론수업, 혼합수업(블렌디드 러닝) 등 학생의 융합적 사고를 신장하는 학생 참여형 수업

② 학생의 성장과 발달을 지원하는 과정 중심 평가 : 학생 스스로 학습 과정과 학습 전략을 점검·개선하여 자기주도적인 학습으로 이어지는 학생평가, 쓰기 중심 수업·평가 활성화를 위한 '생각을 키우는 교실' 운영

(4) 관련 사업 : 꿈실(꿈꾸는 교실)

학생의 삶과 연계된 역량 함양 교육을 위해 학생의 발달 수준 및 학급별 특성을 반영한 학생 맞춤형 교육을 실천하는 초3~6 창의·공감 교육과정 운영 내실화를 위한 프로젝트

## 5 꿈을 담은 놀이터

학생들이 하고 싶은 놀이를 자유롭게 할 수 있는 학생 참여형 놀이터로, 학생 스스로 도전과 새로운 실험을 실천할 수 있도록 건강한 위험이 살아 있는, 기존의 놀이터와는 다른 새로운 관점의 창의적인 놀이터

## 6 돌봄

### (1) 정의

별도 시설이 갖추어진 공간에서 돌봄이 필요한 학생을 대상으로 정규수업 이외에 이루어지는 돌봄활동

### (2) 대상

초1~2학년 위주에서 전 학년으로 점차 확대하고 학부모 수요 및 학교 여건에 따라 대상 학년 설정

## 7 늘봄

### (1) 정의: 정규수업 외에 학교와 지역사회의 다양한 교육자원을 연계하여 학생 성장·발달을 위해 제공하는 종합 교육 프로그램

➤➤ 기존의 초등학교 방과후와 돌봄을 통합·개선한 단일 체제
➤➤ 앞으로 초등학교 방과후와 돌봄은 없어지고, 늘봄학교 하나의 체제만 존재 예정

### (2) 대상: 초등학생 누구나

➤➤ "누구나 이용" 대상: (2024년) 초1 → (2025년) 초1~2 → (2026년) 모든 초등학생

### (3) 프로그램

① 초1 맞춤형 프로그램: 희망 학생을 대상으로 정규수업 종료 후 매일 2시간 이내로 운영되는 무상 프로그램

② 선택형 프로그램
  • 늘봄(방과후) 프로그램: 학생·학부모의 요구에 따라 개설되는 수익자 부담 프로그램
  • 늘봄(돌봄) 프로그램: 아침늘봄(수업 전)·오후늘봄(정규수업 종료 후 13~17시)·저녁늘봄(17~20시)으로 구분, 프로그램비 무상

**교육 혁신**

# 자유학기제

#주제 선택 활동 #예술·체육 활동 #동아리 활동 #진로탐색 활동 #'기초와 적응' 프로그램 #진로연계교육

**Intro**

중학교에서는 학생들이 한 학기 동안 꿈과 끼를 탐색하고 학교생활에 잘 적응할 수 있도록 다양한 프로그램을 제공하는 자유학기제를 운영하고 있어요. 자유학기제는 2023년까지는 1년 동안 운영되는 자유학년제로 운영되다가 2024년에는 학교 특성을 반영하여 자유학기제 또는 자유학년제 중 선택하여 운영할 수 있도록 했어요. 그 이유는 2025년부터는 2022 개정 교육과정을 적용하여 전면 자유학기제로 전환되기 때문이에요. '더 잘 가르치고, 더 잘 배우는 학기'를 지향하는 자유학기제가 무엇인지 알아보고, 나라면 어떤 수업을 진행할 것인지 구상해보세요.

## ① 정의

중학교 1학년(1개 학기, 운영 학기는 학교 선택) 동안 교과 및 창의적 체험활동 시간을 활용하여 학생의 희망과 관심을 반영한 자유학기 활동을 한 학기 170시간 이상 편성·운영하며, 학생 참여형 수업과 이와 연계한 과정 중심 평가를 실시하는 제도

## ② 취지

(1) 학생은 깊이 있는 탐색학습을 통해 자기주도적으로 배움에 몰입하는 경험을 하고, 교사는 창의적 수업 설계와 학생 개별 강점 지도, 과정 중심 평가를 통해 가르치는 전문성을 제고할 수 있음

(2) 학습의 즐거움, 자기주도 학습방법 획득, 개성과 강점 발견, 협력과 소통을 통한 학습 등을 경험함으로써 4차 산업혁명사회에 부응하는 '평생학습인'으로서 성장할 수 있음

## ③ 추진 방향

(1) **학생 참여형 수업 강화 및 개별 학생 지원 활성화**

① **다양한 수업방법 적용** : 수업 참여 태도와 자기 표현력 향상을 위한 협동학습, 토론 수업, 실험·실습 등 학생이 직접 참여하고 활동함으로써 배움이 일어나는 학생 참여형 수업 강화

② **주제 중심 교과 융합수업** : 교사 간 협의 등을 활성화하고 성취기준 중심으로 교육과정을 재구성하여 교과수업에 활용하는 비중을 강화

③ **개별 학생 지원 활성화** : 모든 학생의 적극적 수업 참여를 위해 개별 학생 학습 지원·강화 및 자기주도적 학습 태도 형성 계기 마련

(2) **학생 역량을 강화하는 자유학기 활동 운영 내실화**

① 학생 흥미와 관심, 학교 여건 등을 고려하여 학생들의 핵심 역량을 기르고 유의미한 학습경험을 줄 수 있는 양질의 다양한 프로그램 편성

② 프로그램 개설 전 사전 수요조사를 통해 학생 희망을 최대한 반영

(3) **학생 성장과 발달을 지원하는 과정 중심 평가 내실화**

① 교육과정 성취기준에 기반한 교과 및 자유학기활동 평가계획 수립

② 학생 참여형 수업과 연계한 평가

③ 교과 및 자유학기활동 수업과정 중에 실시되는 학생 학습활동에 대한 평가 내실화

④ 성취기준 도달에 중점을 둔 평가결과 피드백으로 학생 성장 지원

(4) **전환기 적응활동 지원**

① 신입생을 위한 '기초와 적응' 프로그램

② 중−고등학교 전환기 학생들을 위한 진로연계교육

## ④ 4가지 활동 영역

| 활동 | 개요 | 운영 방안 및 유의점 |
|---|---|---|
| 주제 선택 활동 | 학생의 흥미, 관심사를 반영한 교과 연계 전문 프로그램 운영으로 학습동기 유발 | • 교과에서 확장된 다양한 '주제'에 대한 전문적인 수업<br>• 교사 차원의 체계적이고 심층적인 프로그램 기획 및 운영<br>• 학습동기를 유발하고 전문적 학습기회 제공<br>예 드라마와 사회, 3D 프린터, 웹툰, 금융·경영 교육, 헌법, 법질서 교육, 인성 교육, 스마트폰 앱 |
| 예술·체육 활동 | 다양하고 내실 있는 예술·체육 교육을 통해 학생들의 소질과 잠재력 계발 | • 음악, 미술, 체육 과목에서 확장된 다양하고 내실 있는 문화·예술·체육활동<br>• 경쟁 대신 학생들의 소질과 잠재력 계발, 학생의 스트레스 감소 및 행복감 제고<br>• 학생의 인성, 감성역량 함양을 통한 전인적 성장<br>예 연극, 뮤지컬, 오케스트라, 작사·작곡, 벽화 그리기, 디자인, 축구, 농구 |
| 동아리 활동 | 학생들의 공통된 관심사를 기반으로 조직·운영함으로써 학생 자치활동 활성화 및 특기·적성 개발 | • 학생들의 공통된 관심사에 따른 자발적 참여를 기반으로 함<br>• 학생의 자율성을 최대한 보장하는 학생 주도 기획과 운영으로 자치활동을 경험, 학생 자치활동 활성화<br>• 관심 분야의 특기·적성 개발/계발, 자치능력 및 문제해결력 함양<br>예 문예 토론, 라인댄스, 과학실험, 천체관측, 사진, 영상 제작, 향토 예술 탐방 |
| 진로 탐색 활동 | 학생이 적성과 소질을 탐색하여 스스로 미래를 설계할 수 있도록 체계적인 진로교육 실시 | • 학생들이 자신의 적성과 소질을 탐색하여 스스로 미래를 설계하는 능동적 자기주도학습 기회 제공<br>• 자기탐색, 세상탐색, 직업탐색 등을 위한 다양한 체험을 균형 있게 운영<br>• 단순 일회성 체험이 아닌 교과와 연계한 학습과정으로서, 사전 탐색−체험−사후활동이 유기적으로 연계된 체계적 학습경험 제공<br>예 진로검사, 직업인 초청, 포트폴리오 제작, 현장체험 활동, 직업 탐방, 모의 창업 |

## 5 '기초와 적응' 프로그램(초 - 중 적응 지원)

### (1) 필요성

사춘기와 초-중 학교급 변화를 동시에 겪는 신입생의 중학교 적응을 위한 적절한 프로그램 부족

### (2) 정의

신입생들이 중학교 생활에 적응하고 수업에 참여하기 위해 필요한 기초역량을 기를 수 있는 프로그램

### (3) 실시 방안

① 신학년 집중준비기간, 학년(교과)협의회 등을 통해 '기초와 적응' 프로그램 운영 방식 및 신입생들에게 필요한 학교별 기초역량 등 협의, 교육내용 선정

② 교육과정 재구성을 통해 중학교 생활 적응과 학습을 준비하는 집중시기로 운영(학교 상황에 따라 1~3주 운영)

## 6 진로연계교육(중 - 고 적응 지원)

### (1) 필요성

학생들의 심리·정서, 교수·학습 경험에 대한 이해와 진로 설계를 도울 수 있는 적합한 프로그램 부족

### (2) 정의

자유학기제 이후 2~3학년 자기개발 시기 등을 활용하여 교과 연계·융합 프로그램, 상급학교 적응 지원 프로그램, 맞춤형 체험활동 등 자유학기제 취지를 확대 실시하는 교육과정

### (3) 실시 방안

① 신학년 집중준비기간, 학년(교과)협의회 등 학교 목표와 여건에 따라 학교 구성원 의견 수렴을 통해 운영 방식 결정

② 일회성 프로그램 운영을 지양하고 연계성 프로그램으로 구성

③ 고등학교 교육에의 점진적 적응 지원 확대를 위한 프로그램 개발

> 예 고등학교 선배와의 대화, 인근 고등학교 방문, 고교학점제 이해 등

## 06

**교육 혁신**

# 고교학점제

#고등학교 교육과정 #교과교실제 #꿈담학습카페 #공유 캠퍼스

**Intro**

2025년부터 고교학점제가 전국의 모든 고등학교에서 시행되어, 학생들이 직접 원하는 과목을 선택하여 수강하게 됩니다. 이에 따라 학생들은 자신의 진로에 대해 미리 고민하고, 그와 연관된 과목을 이수합니다. 그렇다면 우리는 교사로서 학생들에게 고교학점제와 관련하여 어떤 도움을 주어야 할까요? 먼저 학생들의 진로설계에 대한 조언을 건네줄 수 있습니다. 그 후 학생들이 자신의 진로에 맞는 과목을 선택할 수 있도록 다양한 교과목을 개설합니다. 학생들이 교과목을 수강신청한 이후에는 수업을 잘 이수하고 있는지 확인해야 한답니다. 또한, 수업에 필요한 여러 공간을 구축하는 것도 필요합니다. 이 외에도 학생·학부모 대상 고교학점제 홍보, 연수 수강 등 고교학점제에 대한 전문성 함양 등이 필요합니다. 이번 단원에서는 고교학점제의 기본 개념을 알아보고, 고교학점제가 안착되기 위해 필요한 지원 방안에는 어떤 것들이 있는지 살펴보겠습니다.

## ① 개념

### (1) 정의

학생이 기초 소양과 기본 학력을 바탕으로 자신의 진로·적성에 따라 과목을 선택하고, 이수 기준에 도달한 과목에 대해 학점을 취득·누적하여 졸업하는 제도로, 2025년부터 전면 시행됨

### (2) 학점

고등학교에서의 이수 시간으로, 1학점=50분을 기준으로 하여 17회를 이수하는 수업량. 입학 후 졸업까지 학생이 3년간 이수해야 할 총 학점은 최소 192학점임

➡ 과목별 이수 기준 + 3년간 192학점 이상 취득은 2025년도 입학생부터 적용됨

### (3) 고등학교 교육과정의 구성

| 공통 과목 | • 학생의 적성과 진로에 따라 맞춤형으로 교육을 받기 이전에 기초 소양을 함양하기 위한 과목<br>• 모든 학생들이 이수하며 주로 1학년 때 배우게 됨 |
|---|---|
| 학교 지정 과목 | • 모든 학생이 이수하면 좋겠다고 생각하는 과목으로, 학교에서 지정해준 과목<br>• 주로 대입에 공통으로 응시하는 과목과 체육 교과로 이루어짐 |
| 학생 선택 과목 | • 진로와 학업 설계에 따라 학생들이 자율적으로 선택하는 과목으로, '일반 선택 과목'과 '진로 선택 과목'으로 구분됨<br>　－ 일반 선택 과목: 고등학교 단계에서 필요한 각 교과별 학문의 기본적 이해를 바탕으로 한 과목. 주로 대입과 관련된 과목이 많음<br>　－ 진로 선택 과목: 교과 융합학습, 진로 안내학습, 교과별 심화학습, 실생활 체험학습 등이 가능한 과목. 고교 3년간 진로 선택 과목에서 3개 이상을 선택하여 공부해야 함 |

**(4) 학생들의 교육과정 설계**

진로 탐색(흥미·적성 알아보기) → 교육과정 탐색(진로·진학에 부합하는 다양한 과목 찾아보기) → 진로 및 학업 설계(진로 및 학습 상담 등을 통해 진로 및 학습 계획 세우기) → 수강신청(학습 계획에 따른 과목 수강신청하기) → 수업 참여(선택한 과목에 대해 책임감을 가지고 학습하기) → 졸업(수업 일수를 충족하고 3년간 최소 192학점 이상 이수하기)

## 2 목적

(1) 수업과 평가에 대한 교사의 전문성 및 자율성 강화를 통해 모든 학생의 학습의 질을 보장하는 교육 실현

(2) 단위학교 선택 교육과정 운영 및 공유캠퍼스를 포함한 학교 간 협력 교육과정의 내실화를 통해 학생의 과목 선택권 확대

(3) 4차 산업혁명 대비 미래사회 핵심 역량을 키워 자기주도적으로 미래를 설계하는 인재 양성

## 3 고교학점제 내실화를 위한 지원 방안

**(1) 진로·학업 설계**

진로와 연계한 학업계획서 작성, 이수가 필요한 교과목 등에 대한 맞춤형 지도

> **관련 사이트 및 기관**
> - 하이인포 : 일반고, 특성화고, 자사고, 특수목적고 등 고등학교에 대한 정보를 얻고 싶을 때
> - 커리어넷 : 진로와 꿈이 계속 바뀌어 전문적 탐색이 필요할 때
> - 대입정보포털 '어디가' : 대입 과목, 입시 요강 등 대입에 대해 알고 싶을 때
> - 학교 알리미 : 가고 싶은 고등학교에서 어떤 과목을 배울 수 있는지 궁금할 때
> - 서울진로진학정보센터 : 선택 과목에 대해 더 자세한 내용을 알고 싶을 때
> - 콜라 캠퍼스(공유 캠퍼스) : 가고 싶은 고등학교에 배우고 싶은 과목이 없을 때

**(2) 교육과정 다양화**

① 학생의 진로와 적성을 고려한 학생 맞춤형 교육과정 편성·운영

② 학생 과목 수요에 따른 다양한 교과목 개설

③ 소인수·심화 과목에 한해 협력 교육과정, 지역사회 연계 교육과정, 온라인 교육과정 운영 등을 통한 과목 선택권 확대

④ **학교 간 협력 교육과정**: 학교 간 공동 교육과정으로, 학생의 과목 선택권 확대를 위해 운영됨. 단위학교에서 개설하기 어려운 교과목을 학교 간 협력을 통해 공동 운영함

⑤ **공유 캠퍼스**: 인근 학교를 권역화하고 권역 내 학교를 교과특성학교로 지정하여 교육과정 및 프로그램을 공동 운영하는 학교. 서울시교육청에서는 '콜라 캠퍼스'라는 이름이 붙여짐

## ⑶ 교육과정 이수 지도

① '교육과정 이수 지도팀'을 중심으로, 학생별 학업계획서 및 학습 이력을 토대로 커리큘럼 컨설팅과 개인 시간표 관리 등을 지원

② 희망진로와 연계하여 교과 수업뿐만 아니라 창의적 체험활동도 연계 지도

## ⑷ 수업 및 평가 개선

① 토론·실험·협동학습 등 교과 특성을 반영한 다양한 형태의 학생 배움 중심 교수·학습 및 평가 방법 구현

② 적성·희망 진로에 따른 과목 수강, 과정 중심 평가결과 등 학생 성장과정을 학생부(교과 세부 특기사항 등)에 충실히 기재

## ⑸ 공강 관리 지원

개인별 시간표에 따라 공강이 발생할 경우 자기주도적 학습을 지원하고, 학교별 상황에 맞는 생활교육 방안 마련

## ⑹ 고교학점제 학교 공간 조성

| | |
|---|---|
| **교과 교실제** | • 학생 성장 중심의 고교 교육 실현 및 고교학점제와 연계된 변화하는 교육과정을 반영한 교과교실제 구축<br>• 교과 특색에 맞는 수업 운영 및 다양한 학습 도구를 활용함으로써 학생들의 학습 동기와 수업 태도 향상 및 교원의 전문성을 제고시키는 공간 |
| **꿈담 학습카페** | • 일반고 교육역량 강화를 위한 학교 내 창의·감성·협업 교육 공간 구축<br>• 개방형 선택 교육과정 운영에 따른 공강 시간 활용<br>• 동아리 활동, 토의, 정보 검색, 휴식 및 협업 등 가능 |
| **설렘ON실** | • 미래 교육으로의 도약을 위한 디지털 전환과 다양한 혁신적 교수·학습을 위한 공간<br>• 공간 구성에 따라 교내는 물론 학교 간 실시간 쌍방향 원격 수업, 온·오프라인 융합 수업, 소규모 협업 수업이 모두 가능<br>• 선택 과목과 수강 학생 수에 따라 교실 구조 자체 변경 가능 예 하나의 큰 공간이 방음이 되는 작은 수업 공간으로 분리되고, 나누어진 교실에서 서로 다른 수업 동시 진행 |
| **기타** | • 학점제형 교육 공간의 활용성 향상을 위한 이동수업용 사물함 구비 및 전자게시판 설치 등 홈베이스 환경 개선 |

(7) **학생, 학부모 대상 홍보**

① 학생 : '중학생을 위한 서울형 고교학점제 워크북'을 이용해 고교학점제에 대한 정보 제공, 관련 동영상 제공

② 학부모 : 고교학점제 정책 이해도 제고 콘텐츠 제공

(8) **교원 역량 강화**

교육과정 · 진로 · 진학 전문가(CDA*) 양성 및 다양한 연수를 통해 교원 전문성 신장 지원

\* CDA(Curriculum Design Advisor) : 학생들이 자신만의 교육과정을 설계할 수 있도록 상담 및 교육과정 · 진로 · 진학 전문성을 갖춘 서울시교육청의 교원

## 4 고교학점제 시행 시 나타날 수 있는 문제점과 해결 방안

(1) **학생의 진로가 명확하지 않은 경우 과목 선택에 대한 어려움 발생**

→ 개인별 진로 로드맵 구축, 대학 전공 계열별로 연계된 고등학교 교육과정 안내서 제공, 학생 진로 설계 지도 강화 및 다양한 진로 콘텐츠 제공

(2) **소외 학생 발생 우려**

→ 소속감 · 유대감 함양을 위한 학급 활동 마련, 교과 시간 협력 수업 등

(3) **고교학점제에 대한 인식 부족**

→ 고교학점제 홍보 시간 제공, 개인 시간표 작성, 공강 시간 활용 방법 안내 등

(4) **학생이 수강하고자 하는 과목이 없는 경우**

→ 공유 캠퍼스, 학교 간 협력 교육과정 등을 통해 보완

07

教육 혁신

# 혁신미래학교

#혁신미래학교 실천과제

Intro

기존의 '서울형 혁신학교'는 공교육의 혁신 및 교육 본질 회복을 목표로, 배움과 돌봄에 있어 책임 교육을 실현하고 참여와 협력의 교육문화공동체를 활성화하는 역할을 했습니다. 여기에 생태환경 위기, 디지털 전환, 불확실성의 증가와 같은 급격한 사회변화를 맞아 교육 대전환 시대를 위해 서울시교육청은 기존의 혁신학교에서 '혁신미래학교'로 혁신미래교육을 선도하고자 합니다.
따라서 이번 단원에서는 혁신미래학교는 어떤 것에 중점을 두고, 이를 실천하기 위해 어떤 세부 내용을 다루고 있는지 살펴보도록 하겠습니다. 만약 혁신미래학교에 발령받는다면 '수업 혁신, 배움과 성장 중심 평가, 민주적인 학교 문화 조성'을 어떻게 실천할 것인지 생각해보시기 바랍니다. 참고로 모든 학교가 혁신미래학교인 것은 아니고, 공모를 통해 혁신미래학교로 지정받게 됩니다.

## 1 개념

### (1) 정의

① 혁신학교 : 배움과 돌봄의 교육을 실현하고 참여와 협력의 새로운 교육문화공동체를 만들어 전인교육을 추구하기 위한 목적으로 서울특별시교육감이 지정·운영하는 학교

② 혁신미래학교 : 혁신학교의 성과를 이어가며 전면적 학교 변화를 통해 학생의 전인적 성장을 돕고 미래 교육을 실현하는 배움과 돌봄의 행복한 교육공동체

> 서울형 혁신학교(공교육 혁신+교육 본질 회복+권위주의적 학교문화 개선)
> +학교 운영 혁신+교육과정·수업·평가 혁신+공동체문화 활성화

### (2) 등장 배경

생태환경 위기, 학령인구 감소, 디지털 대전환, 불확실성 증가로 인해 생태전환, 학생 주도성, 디지털 리터러시, 공동체형 학교, 서울 미래교육 방향에 맞춘 질 높은 학교혁신이 필요함

### (3) 필요성

① '교육과정-수업-평가혁신'을 축으로 교실로부터의 혁신 전개 교육과정과 학교문화 전반에서 교육 공공성 강화 및 책임교육 실천

② 민주주의 교육 및 민주적 소통·의사결정 문화는 혁신학교를 넘어 학교문화로 정착

③ '정의로운 차등'을 위한 학교 차원의 다양한 보완적 노력 전개

④ 학교문화 전반에서 학생·학부모·교원을 교육 주체로서 인식하고, 주체 간 역할의 균형과 조화를 위한 실천적 대안 모색

## 2 혁신미래학교 실천 과제

➡ 생태전환교육은 Chapter 03 - 01, 세계시민교육은 Chapter 03 - 02, 디지털리터러시교육은 Chapter 04 - 01에서 더 자세히 볼 수 있어요.

### ⑴ 자율과 책임의 교육과정·수업·평가 혁신

① 필요성: '모두의 탁월성'과 '보편적 학습 복지'를 실현할 수 있는 자율적이고 책임 있는 교육과정 운영, 수업·평가 혁신 필요

② 방향: 학생 개별 맞춤형 교육과정, 학생 주도성을 높이는 혁신 수업, 배움과 성장 중심 평가

### ⑵ 협력과 공존의 학교문화 혁신

① 필요성: 복잡성과 다양성, 불확실성이 높아지는 사회에서 서로의 차이를 인정하며 대화와 소통, 존중과 협력으로 공존하는 학교문화의 중요성 강조

② 방향: 민주적 학교자치 구현, 학습하고 성장하는 공동체문화 활성화

### ⑶ 지속 가능한 교육 중심 학교환경 구축

① 필요성: 학교는 배움이 곧 삶이고 삶이 곧 배움이 되는 작은 사회임. 미래 교육을 통해 실현하고자 하는 미래 사회의 모습을 현재의 학교에서 구성원들이 함께 노력하여 만들고 구현하기 위함

② 방향: 모두가 안전한 공교육 환경 조성, 학교 환경의 생태전환 실천, 디지털 기반 교육 혁신

**전인교육**

# 08 협력적 독서·인문교육

#학교도서관 #학급문고 #독서 수업 모델
23 초등 즉답, 21 사서 구상

> **Intro**
>
> 독서·인문교육은 왜 중요할까요? 디지털 세대의 학생들은 단순 흥미, 오락 위주의 콘텐츠를 많이 접하며 책을 멀리하고 있습니다. 이로 인해 사고력, 문해력, 표현력 등이 낮고 창의·융합적 사고방식을 가지기 어려운 상황이에요. 따라서 이러한 문제점을 해결하고 학생들이 능동적 주체로서 세상에 대한 관심을 가지고 다양한 삶을 체험할 수 있도록 독서·인문교육이 필요해요. 따라서 이번 단원에서는 독서·인문교육을 활성화할 수 있는 방안에 대해 알아보도록 하겠습니다.

## 1 개념

### (1) 정의

삶 속에서 함께 읽고 토론하고 쓰면서 함께 성장하도록 지원하는 소통과 협력 중심의 독서·인문교육

### (2) 필요성

① 수업과 만나는 독서·인문교육으로 협력적 독서·토론·글쓰기 중심 수업 혁신을 통한 미래 역량 함양

② 삶과 만나는 독서·인문교육을 통해 더불어 성장하는 창의적 민주시민 육성

③ 독서·인문 공동체 활성화를 통한 책 읽는 학교·가정·마을 문화 및 독서하는 시민, 토론하는 사회 기반 조성

## 2 활성화 방안

### (1) 교원 역량 강화

① 독서·토론 수업 지원 온라인 설명회 참여, 운영 사례 공유 등

② 독서·토론 자료 활용 연수 참여, 교원학습공동체(교사독서교육연구회) 운영

### (2) 학교도서관 활성화

① 학교도서관 활용 교과 융합·연계 수업

② 학생, 교사, 학부모 포함 교육공동체 대상 프로그램 운영

③ 학교도서관 이용 행사 운영

④ 역할 재구조화 및 공간혁신 예 청소년 문화 카페*

　　\* 청소년 문화 카페: 청소년 공동체문화 조성을 위해 소통과 나눔, 감성을 키우는 문화예술 기능을 추가한 열린 구조의 카페
　　형 학교도서관

(3) **학급 문고 비치 및 다양한 학급 독서 관련 행사** 예 독서 통장, 책 소개 팸플릿 만들기 등

(4) **교내 독서 대회**: 독서 골든벨, 독서 감상문·감상화 대회 등

(5) **독서 동아리, 독서 주간, 자유학기 주제선택 프로그램 등 운영**

(6) **다양한 독서 수업 모델을 활용한 교과, 비교과 연계 수업**

 **Comment**

> 독서 수업이 익숙하지 않은 교사들에게 독서 수업을 하라고 한다면 어떻게 수업을 운영해야 할지 막막하고
> 어려울 것입니다. 이를 해결하기 위해 서울시교육청에서는 "이러한 단계로 한번 수업을 해보세요~"라는
> 의미로 독서 모델을 개발했습니다. 독서 수업에서 활용할 수 있는 수업 모델들을 아래 ③ 에서 확인하기
> 바랍니다.

③ **독서 수업 모델**

(1) **[교과 연계] 서울형 독서·토론 기반 프로젝트 수업**

| 개념 | 교육과정의 중점적 요소인 핵심 개념(Big idea)에서 출발해 핵심 역량 및 교과 지식과 협력적 독서 활동을 연계하고, 학생 주도 탐구 활동을 통해 함께 문제를 해결하며 책에서 앎으로, 앎에서 삶 속으로 나아가는 독서 기반 프로젝트 수업 |
| --- | --- |

| 교육과정 재구성 | 엮어 읽기 | 질문 생성 | 탐구 활동 | 문제 해결 |
| --- | --- | --- | --- | --- |
| • 핵심 개념 추출<br>• 미래 역량 함양을 위한 교육과정 재구성<br>• 기본 학습 | • 핵심 개념 관련 도서 추출 및 선택<br>• 선택 도서 독서 및 학습 내용 심화 | • 토의·토론을 통한 질문 만들기(개인·모둠 질문)<br>• 탐구 주제 설정 | • 탐구 활동 기획<br>• 자료 조사 및 정보 탐색<br>• 소통과 협력의 토의·토론 및 탐구 활동 | • 프로젝트 결과물 생성<br>• 결과물 성찰 및 공유<br>• 발표 및 평가 |

| 핵심 개념 | 협력적 독서활동 | 학생 주도 토론·탐구 활동 |
| --- | --- | --- |

## (2) [교과/비교과 연계] 서울형 심층 쟁점 독서 · 토론 프로그램

| 개념 | • 서울 고교생과 박사 연구자가 함께하는, 한 권 깊게 읽기 · 토론하기 · 쓰기 활동<br>• 독서 · 토론을 매개로 단위 학교－교육청－대학(박사 연구자)의 교육 공동체가 서로 연대하여 서울 고교생의 비판적 · 논리적 사고력과 민주시민성을 신장시키고, 동시에 박사 연구자의 학문적 효능감을 증진하는 고교-대학 간 동반성장 지향 인지적 교류 프로그램 | |
|---|---|---|
| 추진 배경 | • 다양한 분야에서 도서를 추천받아 독서의 폭을 넓히고, 학문적 기반으로 한 권을 깊고 넓게 읽는 독서 경험이 필요함<br>• 비판적 사고력, 문제해결력 등 사고력의 신장이 삶, 실천으로 이어질 수 있는 실현가능성 교육을 지향하기 위함 | |
| 수업 단계 및 예시 | ① 도서 선정 | 생명이란 무엇인가? |
| | ② (사회) 쟁점 찾기 | 저출산 문제 개선을 위해 보건 당국이 출산을 장려하는 것은 바람직한가?, 서양의학의 치료법과 동양의학의 치료법 중에 어느 것이 적절한가? 등 |
| | ③ 핵심 질문 만들기 | 과학자가 바라보는 생명관은 생명과학자에게 어떤 도움을 줄 수 있는가?, 생명에 대한 자신만의 정의를 바탕으로 생명과 관련된 사회 문제를 어떻게 해결할 것인가? 등 |
| | ④ 토론하기 | 연계도서 · 참고자료에서 생명 관련 사회 논쟁을 찾아서 요약하기, 쟁점 찾아내서 토론하기 |
| | ⑤ 확장 및 실천하기 | 생명과 관련하여 학생이 관심을 갖는 문제를 선정하고 해당 문제에 대한 해결책을 찾아 글쓰기, 지역사회의 문제를 해결할 수 있는 실천안 제안하기 |

## (3) [비교과 연계] 아침 책 산책 프로젝트

| 개념 | • 아침 또는 기타 시간을 활용한 학급(팀)별 학생 자기주도형 자율 독서 프로젝트<br>• 기초 문해력 신장 및 읽기 습관 형성을 위한 비교과 연계 독서 실천 프로그램 | |
|---|---|---|
| 주요 활동 | 자기주도형 자율 독서 | • 도서 선정, 읽기 계획 수립, 읽기 방법, 누가 기록 방식 등 활동 전반을 학생이 스스로 계획하여 추진하기<br>• 희망 학급별/팀별 아침 및 기타 시간 20분 내외 아침 책 산책(읽기) 활동하기<br>• 학생별 희망 도서로 한 학기 1~2권 독서 실천하기 |
| | 성찰형 기록과 내면화 | • 한 단어, 한 구절, 한 문장, 하나의 그림(이미지) 등으로 매일 간략한 독후 기록과 축적의 시간 경험하기<br>• 개인별 역량에 따라 자신에게 맞는 기록 방식과 내용을 자유롭게 선정하고, 삶과 연관 짓는 성찰을 기록하고 내면화하기<br>• 내용: 생각, 느낌, 질문, 인상적인 구절과 이유, 내 삶과의 연결점 등<br>• 방식: 구글 문서, 라이브 워크시트, 패들렛 등 온라인 도구(앱) 활용 가능 |
| | 공감 · 소통형 상호작용 | • 학급 전체가 참여하는 가벼운 공감 · 소통 활동 수행하기<br>• 읽기 전 · 후 활동 중 희망 활동을 학급별로 자유롭게 선정한 후 공감하고 소통하는 상호작용하기 |

## (4) [교과/비교과 연계] 독서 · 인문 교육과정 체계화

| 개념 | | | 초 · 중 · 고 성장 단계에 따라 책이랑 놀고, 책을 쓰고, 사람책으로 함께 성장할 수 있도록 독서 · 인문 교육과정을 체계화하여, 책 속으로 삶 속으로 한 걸음 더 나아가고자 하는 독서 · 인문교육 |
|---|---|---|---|
| 성장 단계별 교육 과정 | 초 | 서울학생 첫 책 만나기 (놀이 중심 독서교육) | 놀이하듯 재미있는 체험 중심 독서활동으로 친구들과 책을 즐겁게 읽고, 책과 친숙한 생활을 통해 독서 습관을 기르고 일상화하는 교육 예 책과 노니는 교실 |
| | 중 | 서울학생 첫 책 쓰기 (협력적 책 쓰기 교육) | 관심사와 진로 등을 바탕으로 주제 등을 선정하고 자료 수집, 전문가와의 만남, 다양한 체험 활동을 통해 함께 책을 완성하는 학생 저자 책 쓰기 교육 예 우리들의 첫 책 쓰기 |
| | 고 | 서울학생 첫 책 되기 (삶과 만나는 인문학 교육) | 지식과 경험을 가진 사람책(Human Book)과 직접 만나 상호작용하는, 살아 있는 책과 소통하는 교육이며, 다양한 사람책을 만나고 사람책으로 성장하는 인문학 교육 예 사람책 인문학 |

# 09 진로교육

#진로 교육과정 #진로체험 #꿈길 #몽땅 #꿈키움

**Intro** 학생들이 급변하는 미래 사회에 대비하기 위해서는 진로가 개인에게 갖는 의미가 무엇인지 고민하고, 자신의 적성과 소질에 맞는 진로를 탐색하고 설계하는 것이 중요합니다. 따라서 이번 단원에서는 학교에서 진로교육을 강화하기 위해 교육과정에 어떤 내용을 반영하고 있는지 살펴보겠습니다. 또한 진로교육은 이론보다 직접 체험하는 것이 중요하므로 체험 유형에 무엇이 있는지 알아보고, 추가로 진로자료를 받을 수 있는 온라인 플랫폼도 살펴보겠습니다.

## ① 필요성

(1) 미래의 다양한 진로와 직업 사이에서 학생 스스로 목적의식을 갖고 자신의 진로와 적성을 찾을 수 있도록 진로개발역량 강화 필요

(2) 저출생 현상의 심화, 디지털전환 가속화 등 미래 사회 변화에 대응하기 위해 학생 개개인의 역량 개발이 중요

(3) 2022 개정 교육과정에 따라 학교급별 연계, 진로교육 강화를 위한 진로연계학기 도입 및 고교학점제 시행으로 조기에 학생들의 흥미와 적성에 맞는 진로 탐색과 설계 활동 필요

## ② 진로 교육과정

### (1) 교육과정

➡ 초등은 주로 다양한 교과 내용이나 창체와 연계한 진로교육을 실시하는 것에 목표를 두고 있고, 중등은 과목을 편성하여 미래핵심역량 증진을 위한 진로교육을 운영하는 것에 목표를 두고 있습니다.

① **초등** : 관련 교과 및 창의적 체험활동 연계 진로교육과정 운영

② **중등** : '진로와 직업' 과목 편성, 창의적 체험활동 연계

③ **창체 연계** : 진로 동아리, 진로 검사, 진로 상담, 진로 멘토링 등

  *진로 연계 교육 : 학생이 상급 학교나 학년으로 진학하기 전에 학교생활 적응과 교과 학습의 연계, 다양한 진로탐색활동을 통해 연속적인 학습과 성장을 경험하도록 지원하는 교육

### (2) 교과 연계 진로교육

① 일반 교과 영역 및 단원 연계 진로교육 **예** 교과 내용과 관련된 직업군 탐색하기

② 체험 중심의 학생 참여 수업 **예** 프로젝트 학습, 협력 학습, 토의·토론 학습, 문제해결 학습 등

### (3) 학교 진로활동실 구축, 진로전담교사 배치

① 진로교육 전용 공간 구축, 다양한 진로 프로그램 운영, 진로 검사 및 진로 상담 활성화 공간

② 진로전담교사 : 학교 진로 교육과정 계획 수립 및 운영, 진로 수업(진로와 직업 과목 또는 창체 진로 담당), 학생 진로 검사 및 상담, 교원 및 학부모 대상 연수 운영, 지역사회 유관기관 연계 등

### (4) 전환 시기 진로 연계 교육 강화

① 입학 초/상급 학교 진학 전/상급 학년 진급 전 등 학교생활 적응, 교과 학습 연계, 진로 탐색 등을 통해 학생의 연속적인 학습과 성장을 도움

② 교과, 창체, 자율시간 등을 통해 여러 진로교육 자료를 활용한 진로 연계 교육 강화

### (5) 교원의 진로교육 전문성 강화

학교 간 교원학습공동체, 서울진로교육 포럼 참여 등

### (6) 진로전담교사 : 「진로교육법」 제9조에 사용된 명칭으로, 학교 진로교육을 운영·지원하는 교사

## ③ 진로체험 활성화

### (1) 유형별 진로체험

| 유형 | 운영 방법 |
|---|---|
| 현장 직업 체험형 | 체험처*를 방문해 실제 업무 체험 및 멘토 인터뷰 등의 직업 체험 활동을 수행<br>* 체험처 : 서울시교육청 산하 공공기관, 자치구별 진로직업체험지원센터 등 |
| 현장 견학형 | 체험처·직업 관련 홍보관·기업체 등을 방문해 생산공정 등을 견학, 진로직업체험지원센터 내 관련 프로그램 체험 |
| 학과 체험형 | 직업계고·대학교(원)를 방문해 실습, 견학, 강의 등을 통해 기초적인 지식이나 기술을 학습 **예** 직업계고 개방 진로체험의 날, 특성화고-중학교 매칭 체험 프로그램 |
| 진로 캠프 | 특정 장소에서 진로심리검사·직업체험·상담·멘토링·특강 등의 종합적인 진로교육 프로그램을 6시간 이상 이수 |
| 강연·대화형 | 각 분야의 직업인을 초청하여 멘토링 강연을 통해 직업과 인생에 대한 이해 |
| 직업 실무 체험형 | 청소년 관련 시설 모의 일터에서 직업체험 활동(4시간 이상) 중 실제 업무 체험 및 멘토 인터뷰 |

(2) 미래사회 변화에 대응한 맞춤형 진로활동

① 신산업분야 진로체험 프로그램(디지털 기술, 모빌리티, 첨단바이오, 신재생에너지, 미래농업 분야)

② 창업가정신 함양 교육(동아리 등)

(3) 서울진로직업박람회

진로 탐색관(직업카드 및 다중지능카드를 활용한 상담), 진로 상담관, 진로 행사관(진로특강·동아리 공연 등), 진로직업체험관(부스), 진로 전시관 등

## ④ 진로 안전망

(1) 진로체험망 '꿈길'

'꿈꾸는 아이들의 길라잡이'의 줄임말로, 각종 진로체험활동 신청 및 결과 등록으로 진로체험 인프라를 확충하고, 양질의 체험처와 체험 프로그램을 제공

(2) 쎈(SEN) 진로교육 자료 몽땅

각종 진로교육 자료(학교급·학년(군)에 따른 맞춤형 진로교육 지원자료, 학부모 진로교육, 진로 유관 사이트 및 진로직업체험지원센터 안내 등)를 지원하는 서울 진로교육 온라인 플랫폼

(3) 꿈키움

① 소외계층(저소득층, 다문화, 탈북, 학교 부적응 등)을 위한 진로교육 활성화

② 소외계층 학생 중심 맞춤형 진로검사, 상담, 멘토링, 체험, 특강 등 지원

③ 학년 초기 및 상급 학교(학년) 진학 전 진로 연계교육 강화

④ 꿈키움 버스 : 소외계층 학생이 적정 수 포함되어 있는 공립초 학급 및 동아리에 대해 서울진로직업박람회 참여 현장체험학습버스 지원

(4) 학부모 진로교육 활성화

학부모 진로교육 영상 보급, 중학교 학부모 대상 진로지도 설명회 등

**10**

전인교육

# 학교체육교육

#생존수영교육 #학교스포츠클럽 #여학생 체육활동 #자·타·공·인 #건강더하기(체력관리＋) #365＋
체육온 동아리
23 초등 즉답, 20 중등 교과 구상

**Intro**

> 최근 유행하는 자극적인 식품과 스마트폰 사용 등 건강하지 않은 생활습관으로 학생들의 건강이 우려
> 되고 비만학생들도 많아지고 있습니다. 이에 학생들이 신체적 건강을 유지하도록 돕고 활발한 학교 문
> 화를 조성하고자 여러 방면으로 체육교육을 운영하고 있습니다. 정규 체육교과시간을 활용한 수업 외
> 에도 동아리, 스포츠클럽 등 모든 학생들이 체육 활동에 참여할 수 있도록 권장하고 있으므로 이번 단
> 원에서는 이 내용에 대해 알아보도록 하겠습니다.

## 1 필요성

(1) 원격수업 실시, 이동 통신기기 사용 증가 등 생활습관 요인으로 건강 질환 문제가 대두되고 학생들의
체력 수준이 저하됨

(2) 학교체육을 활성화·일상화하여 평생 건강의 기반을 다지고, 생활 속에서 스포츠 가치를 실현하는
건강한 민주시민 육성 필요

## 2 체육 교육과정 운영 내실화

▶▶ 교육과정에 체육교육을 반영해 단위학교 차원에서 체육교육을 활성화하도록 노력하고 있어요.

| 초등학교 | • **교육과정**: 초등학교 3~6학년 학년군별 204시간(주당 3시간)을 준수하도록 하여 체육과 교육과정 편성과 실제 학교수업 운영이 동일하도록 함<br>• 체육 전담교사, 스포츠강사 등의 지원을 통해 정규 체육수업 및 학교스포츠클럽 지도 등 체육활동 활성화<br>• 초등학교 3~4학년을 대상으로 이론과 실기를 모두 포함한 생존수영교육 실시<br>• **찾아가는 자전거 타기 안전 교실**: 자전거 전문강사가 학교에 방문하여 4학년을 대상으로 기능 및 안전교육 실시 |
|---|---|

| 중 · 고등학교 | •중학교: 기준 수업시수 준수, 창의적 체험활동, 자유학기에서 '학교스포츠클럽활동(스클)'을 편성하여 운영<br>•고등학교<br> − 모든 고등학교: 교육과정에 체육 편성 및 운영을 필수로 하고 있음<br> − 체육교육과정 학교 간 공동교육과정: 소수 학생이 선택한 과목, 전공 교사가 없어 개설하지 못하는 과목 등을 개설 및 운영하여 학생들의 체육 과목 선택권을 확대하고, 개개인의 진로 맞춤형 교육과정 설계를 지원<br> − 체육교육과정 특성화학교: 체육 관련 진로 · 진학을 준비하는 학생들에게 맞춤형 교육과정 제공 |
| --- | --- |
| 체육수업 활성화 | 체육수업 지원 콘텐츠 다양화, 서울 학교체육 포털 운영 |
| 체육교원<br>전문성 신장 | 교원, 스포츠강사, 생존수영실기교육 지도 역량 강화 연수 |

## ③ 교육청 : 1학생 1스포츠 활동 일상화

> **Comment**
>
> 교육청에서도 학생들이 스포츠 활동을 일상화하고 적극적으로 참여할 수 있도록 여러 프로그램을 지원하고 있습니다. ③ 부터 ⑦ 까지의 내용은 독립적이지 않고 서로 연계하여 유연하게 운영할 수 있습니다. 교육청에서 관련 공문을 학교로 보낸 후 교사들이 신청하면 필요한 예산을 배정해 학교에서 체육 관련 활동을 더 내실화하여 운영할 수도 있고, 교육청에서 시행하는 대회에 참여할 수도 있습니다.

### (1) 학교스포츠클럽

① 단위학교 학교스포츠클럽
   • 학교 규모 및 여건 등을 고려하여 아침시간, 방과후, 점심시간 등을 활용해 5종목 이상 운영
   • 학생이 주도성을 발휘하여 진행하도록 하며, 체육 교사 외 일반교과 교사도 1개 종목 이상을 지도하는 것을 권장
② 마을 단위 학교스포츠클럽
   • 인근 학교와 지역사회로 확장하여 또래 학생들과 스포츠를 통해 소통 및 건강한 성장 기회를 부여하기 위함
   • 초 · 중 · 고 학교급 간 연계, 인근 학교 간 연계, 학부모 참여 등 다양한 참여가 가능하며 사회성, 스포츠맨십을 기를 수 있도록 함
③ 교육감배 리그 대회, 교육청 단위 리그 등 다양한 방식의 대회를 특색 있게 운영하여 학생들의 스포츠 활동 참여 확대

### (2) 스포츠캠프

학교운동부 육성 학교에서 학교운동부 지도자와 운동부 시설 등을 활용하여 일반 학생들을 대상으로 스포츠캠프를 개설해 운영할 수 있음

### (3) 서울시교육청 육상 페스티벌

초3~6학년, 중1~3학년을 대상으로 육상 기록 인증제를 통해 육상 종목 활성화

### (4) 신나는 주말 체육학교

학교별 희망하는 종목을 주말을 활용해 운영하며, 학생들의 스포츠레저 활동에 도움을 주고 체력 강화 및 여가 생활의 기회를 제공

## ④ 여학생 체육활동 활성화

### (1) 목표

여학생 특성을 반영한 프로그램을 운영하여 체육에 대한 긍정적인 인식을 함양하고 스스로 참여하는 태도를 증진함

### (2) 성인지적 관점에서 양성 평등적인 체육활동 환경 조성 및 종목 선정을 통한 여학생 체육활동 참여 기회 확대

① 초등학교 수준에서는 양성 평등적인 관점에서 종목 선정 및 수업 활용

② 신체적 차이가 발생하는 시점에서는 여학생 선호 종목(넷볼·킨볼·치어리딩·요가·댄스·방송댄스·줄넘기·자전거·롤러·배드민턴 등), 여학생의 감성을 자극하여 참여가 쉬운 종목을 수업에 활용

③ 중·고등학교 혼성 학급에서는 학생들의 희망을 반영하여 남녀를 구분해 수업을 운영하거나, 혼성으로 운영 가능한 종목을 활용할 수도 있음

④ 여학생 대상 학교스포츠클럽 및 대회 운영, 여학생 체육활동의 날 운영 등

- '공차소서'(공을 차자! 소녀들아! 서울에서!): 여학생 축구 활성화를 위한 리그팀
- '공치소서'(공을 치자! 소녀들아! 서울에서!): 여학생 야구 활성화를 위한 스포츠클럽팀
- 여학생 체육활동의 날: 매주 특정 일시에 체육관, 운동장 등의 학교체육시설에서 여학생 참여 프로그램 운영

## 5 자전거 타기 활성화 교육 : 자·타·공·인

### (1) 자·타·공·인

"자전거 타기 교육을 공(公)교육 속으로 인(IN), 자전거 타기 교육으로 함께(공·共) 생태적 삶 속으로 인(IN)"이라는 의미

### (2) 교육청 프로그램

① 초등학교 : 찾아가는 자전거타기 안전교실
② 중·고등학교 : 지구를 구하는 자전거 캠프, 고교 자전거 동아리

### (3) 기대효과

① 자전거 타기 생태전환 행동을 실천하는 생태민주시민 육성
② 지속 가능한 자전거 타기 실천으로 학생 건강·체력 향상
③ 교육과정과 연계한 자전거타기 습관화로 체육교육 활성화

## 6 학생 체력격차 회복 및 건강체력 증진

### (1) 학생건강체력평가(PAPS) 및 건강체력교실(맞춤형 프로그램) 운영

① 학생건강진단 결과 저체력 및 건강체력 우려 학생, 비만 판정 학생을 책임지도하거나 신체활동 결손을 조기에 회복하기 위해 학생건강체력평가(PAPS)를 실시하고, 건강체력교실을 운영하여 다양한 신체활동에 참여하도록 할 수 있음
② e-paps(온라인 건강체력교실 앱) : 개인별 운동 처방, 90여종 동작, AI 동작 인식 운동자세 분석, 실시간 피드백, 운동 달성률, 랭킹 시스템 등의 기능을 활용해 학생들에게 도움을 줄 수 있음

### (2) 아침운동 활성화(시즌2 다시 뛰는 아침)

① 신체활동 위축 및 결손에 따른 기초체력 저하와 신체적 건강 악화로 지력·마음력·신체력 3가지 회복탄력성 향상을 위해, 아침 등 틈새 시간을 통해 규칙적인 신체활동 프로그램을 제공
② 운영 형태 예 : 365+ 체육온 동아리 활동으로 운영, 학교스포츠클럽 활동과 연계 등

### (3) 서울학생 건강더하기+(체력관리+)

➡ 서울시에서는 서울학생 건강더하기+로 '건강진단·관리 더하기, 체력관리 더하기, 마음관리 더하기' 세 가지의 활동을 지원하고 있습니다. 그중 학교 체육과 관련해서는 '체력관리 더하기'를 다루고 있습니다.
① 장기간 팬데믹으로 비만 등 생활습관질환 문제가 대두되고 학생들의 체력 수준이 저하됨에 따라 교육청 차원에서 체계적으로 지원
② 건강진단, 체력, 마음 건강의 종합적인 활동 지원

③ 체력 관리+
- 학생 체력 수준 진단 및 관리 : 학생건강체력평가(PAPS) 측정 및 개인 맞춤 운동처방 제공, 저체력 학생 맞춤 지도를 통한 지속적 체력 관리
- 신체활동 참여기회 확대 : 1학생 1스포츠 활동 참여, 학교스포츠클럽대회(리그) 운영 활성화, '자·타·공·인' 생활 속 자전거타기 활성화, 아침운동 활성화 프로젝트 지원
- 체력회복을 위한 지원 : 건강체력 지원단 운영, 365+체육온 동아리 활동 지원, 디지털 기반 스마트건강관리교실* 지원

  \* 디지털 기반 스마트건강관리교실 : 학생들이 자신의 신체 건강 수준을 파악하고 건강관리를 할 수 있는 자기주도적 건강관리능력 함양을 위한 공간으로, 스마트 체육교구를 활용해 체육수업·방과후학교·건강체력 교실 등에 활용함

(4) 365+ 체육온 동아리
① 언제 어디서나(365+) 참여 가능한 온·오프라인 연계형 신체활동 증진을 위한 소규모 프로그램 활동
② 학생들이 흥미를 갖고 자기 주도적으로 참여할 수 있는 소규모·수준별·그룹형 신체활동 증진 프로그램으로 운영
③ 운영 예시 : 창체 내 동아리, 교육과정 외 학교스포츠클럽, 방과후활동, 자율동아리, 체육수업 등과 연계하여 운영하거나 쉬는 시간, 점심시간 등을 활용하여 활동할 수 있음

## 7 서울형 학교운동부 운영

(1) 학생선수 학습권 보장
① 학생선수의 안전 확보, 정상적 교육과정 이수, 학습권 보장 등을 위해 출석인정 결석을 허가할 수 있음
② 최저학력제 적용 : 학습권 보장을 위해 학생선수가 일정 수준의 학력에 미도달한 경우 별도의 기초학력 보장 프로그램 운영 및 참여 의무화

(2) 인권 보호
인권교육, (성)폭력 예방교육 등 학생선수, 학교 운동부 지도자 대상 각종 교육 의무화

(3) 도핑방지교육
학생선수의 신체적·정서적 건강을 위해 학생선수 및 학교 운동부 지도자 대상 도핑방지교육 의무화

(4) 진로역량 강화
체육진로교육, 학생선수 진로·진학 토크 콘서트, 스포츠 창직 아이디어 공모전 등

(5) 기타
상시 합숙훈련 근절, 선수 및 지도자 휴식권 보장, 비위행위 처리절차 강화 등

**11**

**전인교육**

# 학교예술교육

#초등예술하나 #협력종합예술활동 #학생예술동아리
23 초등 즉답, 20 중등 교과 · 비교과 구상, 19 초등 구상

**Intro**

예술교육이 엘리트를 위한 교육이라는 과거의 관점과 달리, 예술교육의 보편화를 위해 학교에도 예술교육이 도입되었습니다. 많은 사람들이 예술을 누리고 있는 요즘은 예술교육의 목표가 인간이 가질 수 있는 감성을 키우는 것으로 초점이 옮겨지고 있습니다. 인공지능 시대에서 인간만이 가질 수 있는 예술 감수성, 창의성을 발달시키는 것이 중요하다고 본 것이죠. 실제로 다양한 예술 활동을 통해 학생들의 예술적 감수성, 창의적 표현, 자기주도적 태도, 협력적 인성 등이 발달하고 있습니다. 특히 예술교육을 통해 타인을 이해하고 공감하는 능력이 향상되어 학교생활에 긍정적 영향을 주고 있습니다.
교과목표에 따라 예술교육을 할 수도 있지만 학생들의 인성교육, 학교폭력예방교육에도 예술이 많은 도움이 되고 있답니다. 따라서 이번 단원에서는 예술교육의 필요성과 함께 어떻게 예술교육이 운영되고 있는지 알아보도록 하겠습니다.

## ① 개념

### (1) 정의

학교 교육과정 내 예술 교과 교육과 비예술 교과 교육을 포함하여 학교를 둘러싼 제반 환경에서 이루어지는 모든 예술교육을 총칭하는 것으로, 학교 또는 학교와 지역사회가 연계된 예술 자원이나 소재를 교육적으로 기획하고 경험시킴으로써 예술 향유인*을 양성하는 학교교육

* 예술 향유인 : 예술 언어와 예술 감성이 풍부하고, 예술을 즐기고 누리며 예술과 더불어 살아가는 사람

### (2) 필요성

① 모두를 위한 보편교육으로서의 학교예술교육 내실화 및 확대 필요

② 학생 개개인의 적성과 특성에 맞는 예술적 역량을 길러줄 수 있는 예술교육을 통해 미래사회 변화에 대비

③ 인공지능 시대 인간 중심으로 사고하면서 인간 고유의 창의성을 발현하는 감성적인 창조자 육성

④ 변혁의 시대를 살아가기 위한 창의 융합적 사고력과 협력적 인성을 함양하는 학교예술교육에 대한 요구 증대

## 2 학교 내 : 교육과정 연계 예술활동

### (1) 예술강사 '아르떼'

전문 예술강사가 필요할 경우 아르떼를 선발하여 국악, 연극, 영화, 무용, 만화, 공예, 사진, 디자인 등의 분야에 대한 협력수업을 진행함

### (2) 초등예술하나

① 모든 초등학생이 정규 수업시간 중 주 1회 1시간씩 예술 활동에 참여

② 예술교육을 위한 '예술꿈담터(연습실)' 구축, 교사 및 강사를 위한 여러 자료 공유 및 연수 진행

③ 유관 기관과 MOU를 체결, 학교예술교육 종합플랫폼 '서울교육 예술인'과 교육지원청 현장지원단 운영 지원

### (3) 협력종합예술활동

▶▶ 협력종합예술활동의 수업 예시는 합격시그널 카페를 참고해주세요.

| 학교급 | 초등 | 중등 |
|---|---|---|
| 대상 | 초 5~6학년 | • 재학 중 1학기 이상<br>• 중학교 필수, 고등학교 · 특수학교 자율 |
| 분야 | 뮤지컬, 연극, 영화 중 1개 선택 | 뮤지컬, 연극, 영화, 밴드(고등학교) |
| 운영<br>방법 | • 초등예술하나로 운영하여 교육과정에 편성<br>• 담임교사와 예술강사의 협력수업 등 체험 중심 활동 수업 진행 | • 교복 입은 예술가(중등) : 재학 중 최소 한 학기 이상의 교육과정 내에서 학급의 모든 학생들이 뮤지컬, 연극, 영화 등의 종합예술 활동에 역할을 분담하여 참여하고 발표하는 학생 중심 예술 체험교육<br>• 교과별 교육과정 재구성, 교과융합 프로젝트, 창체(단, 학생을 재편하는 동아리는 불가) 등으로 운영<br>▶▶ 보통 '협종'이라고 줄여 부르며 교과 시간에 연계하는 경우가 많아요.<br>• 예술 강사 지원 |
| 기타 | 예술꿈담터(연습실) 지원 | • 학생 주도형 발표 기회 제공 : 교복 입은 예술가 영화제 · 뮤지컬 · 연극 발표회, 공유마당 등<br>• 예술꿈담터(연습실) 지원 |

### (4) 학생예술동아리

① 1학생 1예술활동으로 학생 주도 예술활동을 활성화함

② 교육청에서 다양한 예산과 함께 '2024 우동소(우리 예술동아리를 소개합니다)', '활동 영상 공모', '예술몽땅 페스티벌' 등 발표 기회를 제공함

### ③ 교육청 : 학생 예술경험 다양화 기회 제공

#### (1) 서울학생 악기공유마당

학교에 있는 유휴 악기를 대여·공유하여 학교가 보유한 악기를 타 학교에 대여해주고 필요한 악기를 타 학교에서 대여할 수 있도록 함

#### (2) 학교오케스트라 활동

학교오케스트라 운영을 희망하는 학교에 대해 여러 오케스트라 교육 활동을 실시하고 캠프, 공연, 지역 유관기관을 활용해 여러 연주에 참가할 수 있도록 함

#### (3) 서울학생필하모닉오케스트라

서울창의예술교육센터에서 파트교육, 전체 합주교육 등을 실시하고 정기 연주회, 특별 공연 등을 운영함으로써 예술 경험을 할 수 있도록 함

#### (4) 온라인 예술교육

종합플랫폼 '서울교육 예술인', 공식 유튜브 채널 '예몽TV'(예술활동 결과물 전시, 공연, 사례 공유)

MEMO

S
I
G
N
A
L

합격 시그널

더 평등한 출발

# 01 기초학력 지원

#두드림학교 #진단 #다중학습안전망(정규 수업 안, 학교 안/밖) #기초학력 보장 프로그램 #가정 연계
23 초등 즉답, 21 중등 교과·비교과 즉답·즉답 추가, 21 초등 구상, 20 초등 구상

**Intro**

학생의 기초학력을 보장하는 것은 왜 중요할까요? 학생은 학교교육을 통해 행복한 삶을 영위할 수 있도록 배울 권리를 보장받아야 하지만 학생의 기초학력 부진은 사회에의 적응을 어렵게 합니다. 특히 펜데믹 이후 기초학력 부진 대상 학생이 늘어났고 학습 결손의 우려가 심화되고 있기 때문에, 학교와 교육청 모두 책임감을 가지고 다방면의 지원이 필요합니다. 기초학력 부진의 원인은 인지적일 수도 있지만, 정의적인 측면(사회성 또는 심리·정서)도 있어 원인을 파악하고 이에 맞는 지원이 필요합니다. 따라서 이번 단원에서는 학생의 기초학력을 지원하기 위해 단위학교 차원에서 실시할 수 있는 프로그램과, 교육청 차원에서 실시할 수 있는 프로그램에 대해 알아보겠습니다. 그리고 마지막으로는 보호자 인식 제고를 위한 방안을 알아보겠습니다. 아무래도 우리 아이가 기초학력 대상자라고 하면 보호자들은 낙인에 대한 우려나 학생의 자존감 문제 등을 고민할 수도 있겠죠. 기초학력이 필요한 이유에 대해 공감대를 형성하고 가정과의 연계를 위한 방안도 알아보겠습니다.

## 1 기초학력

### (1) 기초학력 판단기준 : '최소한의 성취기준'

국어·수학 등 교과의 내용을 이해하고 활용하는 데 필요한 읽기·쓰기·셈하기를 포함하는 기초적인 지식, 기능 및 사회적 삶을 영위하기 위한 최소한의 역량

### (2) 필요성

① 학생 개개인이 사회적 존재로서 잠재된 소질과 적성을 발휘하여 행복한 삶을 영위할 수 있도록 인권으로서의 배울 권리 보장 필요

② 코로나19 이후 기초학력 저하 및 학습결손에 대한 우려 심화에 따라 학교와 교육청의 기초학력 보장 지원 책무성 강화에 대한 사회적 요구 증대

## ② 기초학력 지원 방안

💬 **Comment**

단위학교 차원에서 기초학력 지도 방안을 수립해 실행하는 것을 통틀어 '두드림학교'라고 합니다. 이는 학교별로 특성이나 여건이 다르기 때문에, 학교 실정을 반영하여 우리 학교에서는 이러한 방식으로 기초학력을 보장하겠다는 의미를 내포하고 있답니다. 보장 체계를 구성하고 기초학력 지원이 필요한 학생들을 선정한 후 이 학생들에 대해 다중학습안전망의 여러 프로그램을 통해 맞춤형 교육을 지원하게 됩니다.

그럼에도 불구하고 단위학교 차원에서 하기 어려운 전문적인 도움이 필요한 학생들도 있습니다. 이럴 때는 교육청 차원에서 운영하는 서울지역학습도움센터, 지역사회 유관기관 등 학교 밖 전문 기관과 연계하여 학생에 대한 맞춤 통합 지원을 제공할 수 있습니다.

| 기관 | 단위학교 차원: 두드림학교* | | | | 교육청 차원: 서울지역학습도움센터 등 |
|---|---|---|---|---|---|
| 단계 | 1단계 | 2단계 | 3단계 | | |
| | 기초학력 보장 체계 구축 | 학습지원 대상 선정 | 다중학습안전망을 통한 지원 | | |
| 활동 | 학습지원대상 학생 지원 협의회 구성 및 학습 지원 담당 교원 지정 | 다층적 진단 도구, 통합적 진단 활동을 통한 학습지원 대상 학생 선정 | **정규 수업 중**<br>교실 내 협력 수업, 학생 개별 맞춤형 수업 | **학교 내**<br>정규 수업시간 외 학교별 맞춤 프로그램 운영 | **학교 밖**<br>복합·특수 요인 등 전문적인 추가 지원이 필요한 학생을 위한 서울지역학습도움센터 프로그램 및 지역사회 유관기관 연계 |

\* 두드림학교: 학습지원대상학생들의 꿈과 끼를 실현(Do-Dream)할 수 있는 여건을 만들어주는 학교를 의미하는 것으로, 서울시교육청은 초·중·고 전체 학교를 두드림학교로 운영하며 교육공동체가 함께 만들어가는 기초학력 책임지도를 지향함

**(1) 1단계: 기초학력 보장 체계 구축**

① 학습지원대상학생 지원 협의회 구성: 학습지원대상학생 선정 및 통합 지원 방안 협의, 학교 여건 및 상황에 따라 수시 협의, 학생 성장에 따른 지원 프로그램 조정 및 모니터링

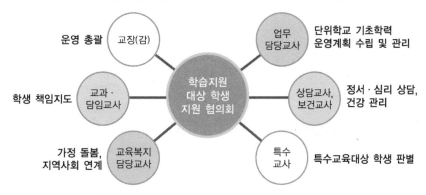

② 학습지원 담당 교원 지정: 개별 학생 맞춤 프로그램(협력강사, 키다리샘, 학교 자체 프로그램, 학습지원 튜터, 지역사회 유관기관 연계 등)을 지원함

## (2) 2단계 : 진단을 통한 학습지원대상 학생 선정

| 진단 방법 | 내용 | 방법 |
|---|---|---|
| ① 진단 도구 활용 | 학습 저해 요인 파악을 위해 인지적 학습 역량, 심리·정서 요인, 학습 환경 등을 파악할 수 있는 검사 도구를 활용함 | • 인지적 학습역량 진단 도구: 서울기초학력진단-보정 시스템*, 배·이·스 캠프**, 국가기초학력 지원센터, 맞춤형 학업성취도 자율평가, 서울 학생 문해력·수리력 진단검사, 하이점프(직업계고, 연중)<br>* 서울기초학력진단-보정 시스템: 체계적인 진단-보정 프로그램을 제공하여 학생들의 기초학력 향상을 지원하는 사이트<br>** 배·이·스 캠프: '배우고 이루는 스스로 캠프'로, 학생 스스로 기초학력 도달 여부를 진단하고 보정 학습을 할 수 있는 학습 공간<br>• 학습준비도 진단 도구: 느린학습자 선별 체크리스트(초), 읽기 학습특성 체크리스트(초), 사회정서역량검사(초), 학습유형검사(초·중), 정서행동환경검사(EBEQ)(초·중), 자기조절 학습검사(고) |
| ② 통합적 진단 활동 | 인지적 영역과 정의적 영역을 통합적으로 진단하여 학습 지원이 필요한 학생을 선정함 | 지필평가, 관찰, 학생·보호자 상담, 학생 성장이력 검토 등 |

## (3) 3단계 : 다중학습안전망

| 구분 | 활동 |
|---|---|
| ①<br>수업 중<br>맞춤 교육 강화 | • 교과교사와 협력강사 간의 협력수업 진행<br>• 에듀테크, AI 활용 등을 접목한 협력수업 준비 및 자료 제작 등<br>예 디지털교과서, 위두랑(LMS) 온라인 학습플랫폼을 연계하여 교과교사가 기초학력이 부족한 학생에게 사전 기초학습 자료 제공·지도 |
| ②<br>학교 안<br>책임지도<br>내실화 | • 정규 수업시간 외(방과후, 주말, 방학 중) 학습지원대상학생의 학습 및 심리·정서 지원 강화를 위한 학교별 맞춤 프로그램 운영<br>• 학습지원대상학생의 학습저해요인을 고려해 학습지도 및 학습코칭, 사회성 및 관계성 함양 등 지원<br>✳ **단위학교 내 기초학력 보장 프로그램** |

| | 토닥토닥 키다리샘 | 키다리샘으로 선정된 교사가 다양한 방식으로 학습지원 교육 실시<br>예 학습 코칭, 서점 방문 및 읽기 지도, 문해력 지도, 기초 학습 검사 실시, 교과 기초 학습, 관계성 함양을 위한 활동, 상담 등 |
|---|---|---|
| | 학교 자체 프로그램 | 단위학교 여건에 맞는 학습 지원 교육 프로그램 운영<br>예 기초튼튼반, 점프업 등 교과 보충 프로그램 |
| | 학습 지원 튜터 | 정규 수업 내 협력 수업 또는 학교 자체 프로그램 운영 등 지원 |

02

| | |
|---|---|
| **전환기 기초학력 프로그램** | - 초6·중3 채움학기제: 학교급 전환기 학생들의 자기효능감 향상 및 상급학교 진학 후 성공적인 학교 생활을 위하여 학습 공백을 채우고 기초학력을 보장<br>- 초3·중1 도약학기제: 교과학습이 시작되는 초3과 중등교육 시작 단계인 중1을 대상으로 학력 격차가 벌어지지 않도록 정확한 진단 및 집중 지원<br>예 학습도약캠프, 학습 코칭, AI 튜터링 보충학습 등 |
| **책임교육학년제** | 학생들의 학습 및 성장에 결정적 시기인 초3, 중1을 '책임교육학년'으로 지정하여 집중 지원. 언어, 수리, 디지털 소양 등 3대 핵심 소양을 집중 교육함 |

**✳ 학생 상황·특성에 따른 맞춤형 지원**

| | |
|---|---|
| **다문화학생** | - 서울다문화교육지원센터(다+온센터)<br>- 다문화학생 맞춤형 멘토링(다가치 멘토링), 다문화특별학급, 찾아가는 한국어교실, 대학교 한국어학당 연계 프로그램 등 |
| **탈북학생** | - (학기중) 단위학교별 1:1 멘토링<br>- (방학중) 캠프형 멘토링 프로그램(교과, 진로) |
| **대안교육** | - 학업중단 예방을 위한 학교 내 대안교실, 대안교육 위탁 교육기관 |
| **건강장애학생** | - 건강장애, 요보호학생 대상 실시간 쌍방향 원격 수업 및 강의 콘텐츠 |

**③ 학교 밖 전문 지원 연계**

- 서울지역학습도움센터 프로그램 연계: 복합요인(심리·정서, 사회성 등) 및 특수요인(난독, 난산, 경계선 지능 등) 학습지원대상 학생들의 학습격차를 해소하고 학교생활 적응을 위해 위(Wee) 센터, 특수교육지원센터, 지역교육복지센터 등과 연계하여 학습저해요인을 파악하고 맞춤형 지원을 실시함
- 지역사회 유관기관 연계: 학교 단위에서 지원이 어려운 학생에게는 지역사회 유관기관과 연계하여 개인별 맞춤 통합 지원 실시
  * 지역학습도움넷: 서울시교육청 지역학습도움센터에서 학교의 기초학력 보장 활동 지원을 위해 발굴한 지역사회 전문기관(병원, 상담·치료기관, 아동발달센터 등). 학교에서 기관과 직접 연계하여 학습지원대상학생 맞춤형 학습지원에 활용 가능함
  예 심리·정서적 어려움을 동반한 학습지원대상학생을 학교 인근 아동발달센터에 의뢰하여 종합심리 검사 후 맞춤형 프로그램 지원

## ③ 가정과의 연계

### (1) 가정 연계 지도를 위한 보호자 역량 제고

기초학력 보장 교육활동에 대한 공감대 형성 및 가정과의 연계 지도 활성화

예 다양한 학습자료 제공, 보호자 든든 연수(자녀 학습특성 이해·자녀의 자기주도학습 지원·가정 내 지도 등), 보호자 맞춤 상담 지원 등

### (2) 기초학력 인식 제고를 위한 홍보 강화

학습 저해요인에 대한 이해, 기초학력 향상 사례 제공 등을 통한 보호자의 적극적·자발적 참여 유도

예 기초학력 온라인 소식지 '틈틈이' 제공, 학생의 학습 성장 및 보호자 지도 사례 공유, 기초학력보장사업 관련 홍보 콘텐츠 제공 등

# 02 특수교육 및 통합교육

#통합교육 #개별화교육 #장애공감문화 #정책 베리어프리
19 중등 교과 구상

**Intro**

이 파트는 특수 선생님들만 보면 된다고 생각할 수 있지만 아니에요! 모두 살펴보아야 합니다. 일반학교에도 특수교육대상학생이 입급해 있고 통합교육을 진행합니다. 또한 서울시교육청에서도 장애공감문화를 확산시키기 위한 노력을 하고 있습니다.

이 파트에서는 용어의 정의를 완벽히 외우기보다는 이런 용어들이 있고, 이들을 어떤 맥락에서 사용하는지 파악하는 것이 필요합니다. 그리고 답변 시 용어 사용에도 주의해야 합니다. 예를 들어 장애가 없는 학생은 '비장애학생'으로 지칭하는 것이 올바른 표현입니다. 또한 특수교사에게 학생 교육의 전반을 일임하는 것이 아니라, 특수교육대상학생도 우리반 학생으로 바라보고 통합교육이 잘 이루어질 수 있도록 협력해야 합니다.

## 1 주요 개념

### (1) 특수교육

특수교육대상자의 교육적 요구를 충족시키기 위하여 대상자의 특성에 적합한 교육과정 및 특수교육 관련 서비스 제공을 통해 이루어지는 교육

### (2) 특수교육 관련 서비스

특수교육대상자를 효율적으로 교육하기 위하여 필요한 인적·물적 자원을 제공하는 서비스

**예** 상담 지원, 가족 지원, 치료 지원, 지원인력 배치, 보조공학기기 지원, 학습보조기 지원, 통학 지원 및 정보접근 지원 등

### (3) 특수교육대상자

특수교육운영위원회의 심사를 통해 특수교육이 필요한 사람으로 선정된 사람(등록장애인이 아니더라도 특수교육대상자로 선정 가능)

\* 시각장애, 청각장애, 지적장애, 지체장애, 정서·행동장애, 자폐성장애(이와 관련된 장애를 포함한다), 의사소통장애, 학습장애, 건강장애, 발달지체, 그 밖에 두 가지 이상의 장애가 있는 경우 등 대통령령으로 정하는 장애

▶▶ '특수교육대상학생'이라 부르기도 합니다.

### (4) 통합학급

특수교육대상자가 편성된 일반학급

### (5) 특수학급

특수교육대상자의 통합교육을 위해 설치된 유치원 및 초·중·고등학교 내의 학급

### (6) 통합교육

특수교육대상자가 일반학교에서 장애 유형·장애 정도에 따라 차별을 받지 아니하고 또래와 함께 개개인의 교육적 요구에 적합한 교육을 받는 것

➠ 통합교육은 특수교육대상자만을 위한 교육이 아니라 모두를 위한 교육임을 잊지 말아야 합니다.

> 통합교육 관련 정책
> ① 더공감교실 : 특수교사–일반교사 협력교수(보편적 학습설계, 긍정적 행동지원, 학교단위 더공감교실 특수교사 추가 배치)
> ② 십분의 기적 : 특수교육대상학생이 학교생활 전반에 적극 참여할 수 있도록 특수교사와 일반교사가 십분 협력하여 만들어가는 수업 혁신 문화(상시적 협의 문화 조성)

### (7) 특수교육대상자 배치 유형

- 완전통합 : 통합학급
- 부분통합 : 통합학급 + 특수학급

➠ 과목 등에 따라 통합학급에 있기도 하고 특수학급에 있기도 합니다.

### (8) 개별화교육

각급 학교의 장이 특수교육대상자 개인의 능력을 계발하기 위하여 장애 유형 및 장애 특성에 적합한 교육목표, 교육방법, 교육내용, 특수교육 관련 서비스 등이 포함된 계획을 수립하여 실시하는 교육. 매 학기 시작일부터 30일 이내에 개별화교육계획을 작성해야 함

* 개별화교육팀 : 특수교사, 통합학급 담임교사, 보호자, 관리자 등

➠ 특수교사가 중심이 되어 개별화교육계획을 작성하고 보호자, 담임교사는 협력하는 형식으로 생각하면 됩니다.

### (9) 순회교육

특수교육 교원 및 특수교육 관련 서비스 담당 인력이 각급 학교나 의료기관, 가정 또는 복지시설 등에 있는 특수교육대상자를 직접 방문하여 실시하는 교육

## ② 특수교육 지원 제도

### (1) 특수교육지원센터

특수교육대상학생들 대상 특수교육의 전반적인 지원을 위해 설치된 교육지원청 전문 부설기관

① 순회교육 운영, 진단·평가 지원, 통합교육 지원, 치료 지원, 보조공학기기 지원, 직업교육 지원, 방과후 및 방학 중 프로그램 운영

② 장애학생 가족지원 프로그램 : 부모교육, 가족상담, 가족캠프, 비장애 형제·자매 지원

③ 장애학생 인권지원단 운영 : 장애학생 인권보호 및 인권침해 예방을 위해 학교 현장을 지속적으로 지원하는, 특수교육지원센터 내 설치된 기구

➠ 학교에 특수교사가 없다면 특수교육지원센터와 소통하여 특수교육 관련 지원을 받을 수 있습니다.

### (2) 특수학생 진로 및 직업교육

① **방향**: 사회 구성원으로 원활한 전환을 할 수 있도록 직업 재활훈련 및 자립생활훈련 실시, 장애 영역 특성에 맞는 진로 및 직업교육 계획을 수립·운영

② **방법**: 학교급 간 진로교육 연계, 지역사회 기반 학습 중심 현장실습 운영, 통합형 직업교육 거점학교 운영 등 **예** 교내 현장실습, 산업체·장애맞춤기관 체험형 현장실습, 발달장애인 훈련센터, 장애학생 희망 일자리 사업 등

## ③ 장애공감문화

### (1) 학생 대상 장애이해교육

① 연 2회 이상 의무 실시

② 교육과정 연계 장애공감수업을 통한 일상 속 장애공감문화 활성화

③ 찾아가는 장애이해교실 운영 **예** 발달장애인예술단 공연 등

### (2) 교직원 대상 장애인식개선교육

① 연 1회 이상 의무 실시

② 특정 장애 영역에 치우치지 않도록 하고 장애학생의 학교생활에 필요한 내용을 포함하여 실시

### (3) 학부모 대상 사회적 장애인식개선교육: 연 1회 이상 의무 실시

▸▸ 모두를 위한 교육, 다양성 존중 교육 등 장애인식개선교육 관련 내용을 포함하고 장애가 부각되지 않도록 운영하는 것이 필요합니다.

### (4) 장애학생 인권침해 예방

① 장애이해교육 시 장애인권교육내용 포함, 장애학생대상 장애인권교육(자기권리 옹호교육) 실시

② 장애학생 대상 학기별 1회 이상 (성)폭력 예방교육 실시: 특수교육대상학생이 성폭력, 성추행 가해자로 오인되지 않도록 사회적 기술교육 실시, 타인에 의해 발생하는 성폭력 및 성추행 대처방법 지도(더봄학생*)

  * 더봄학생: 학교폭력, 성폭력, 가정폭력 등에 노출된 경험이 있거나 인권침해를 받을 가능성이 높아 관심과 지원이 요구되는 장애학생

### (5) 일상 속 장애공감문화 활성화를 위한 캠페인 및 콘텐츠 개발, 정책 배리어프리(Barrier-Free)* 캠페인 등 **예** 베리어프리 영화 상영, 주출입구 바닥의 높이 차이 제거 등

  * 정책 배리어프리(Barrier-Free): 정책 수립 시 계획 단계부터 실행에 이르기까지 특수교육대상학생 지원방안을 함께 고려하여, 특수교육대상학생에 대한 의도하지 않은 정책적 차별을 예방하고 다양성을 존중하는 공존교육의 실현을 위한 적극 행정을 의미

## ④ 통합학급의 생활교육

### (1) 기본 생활습관 형성하기

① 학급규칙 따르기
- 교사와 학생이 모두 참여하여 학급규칙을 정함. 정해진 규칙은 직접교수를 통해 특수교육대상 학생에게 지도. 학급규칙은 주기적으로 수정하고 지속적으로 피드백
- 시청각 연상자료 예시: 그림 및 아이콘이 있는 포스터와 표시들, 규칙을 표현하는 만화, 학생이 규칙을 따르는 행동을 보여주는 사진, 줄 서야 하는 곳이나 앉아야 할 곳을 나타내는 바닥의 테이프, 차례를 나타내는 사진(예 손씻기 순서), 활동 시간을 알려주는 타이머

② 생활지도
- 특수교사와 논의를 통해 통합학급에서 중점을 두어 특수교육대상학생이 꼭 지켰으면 하는 생활습관이나 태도에 대해 지도
- 가정에서의 일관성 있는 지도를 위한 학부모 상담 실시

### (2) 사회성 및 의사소통능력의 증진

① 수용적인 학급 분위기를 조성, 수업시간에 학생 간 협력이 강조되는 교수법 사용, 특수교육대상학생이 자연스러운 상황에서 학습한 사회성 혹은 의사소통 기술을 연습할 수 있도록 기회 제공 및 격려, 상황에 적절한 피드백 제공

② 말을 하지 못해도 표정·몸짓·그림으로 의사소통할 수 있다는 신뢰를 갖고 의사소통 시도, 먼저 물어보고 선택할 수 있도록 기회를 주기, 보완대체의사소통도구(그림·스마트폰·태블릿) 사용

### (3) 통합학급 행동 중재 방법

① 어떤 행동의 '문제'가 되는 상황과 맥락 파악

② 모든 행동에는 기능이 있다는 점 인식하고 대처

③ 같은 기능을 하는 적절한 대체 행동 및 기술 가르침

④ 주변 학생들이 특수교육대상학생의 부적절한 행동을 부추기거나 따라해 악순환이 되지 않도록 주의시킴

# 03 교육복지

#학생맞춤통합지원체계 #교육취약학생 #교육복지안전망 #복지 사각지대 해소 #정의로운 차등
21 사서 구상, 19 중등 교과·비교과 즉답 추가

**Intro**
올해부터 서울형 교육복지사업은 '학생맞춤통합지원체계'와 결합하여 많이 언급되고 있습니다. 이는 도움이 필요한 학생(교육취약)을 조기에 발굴하고 맞춤형으로(학생의 필요에 따라), 통합적으로(저소득, 심리·정서, 사회·문화, 적응·관계, 기초학력) 지원하는 것을 의미합니다. 물론 이 체계 이전에도 맞춤형으로, 통합적으로 교육취약학생들을 지원하였고, 최근 교육청에서 이 체계를 내세움에 따라 더 강조되었다고 생각하시면 됩니다. 이 파트에서는 어떤 학생들이 교육취약학생으로 선정될 수 있는지, 그리고 그 학생들에 대한 맞춤형 통합 지원은 어떻게 이루어질 수 있을지 서울시교육청의 정책들을 활용하여 고민해보세요~

## 1 교육복지

### (1) 넓은 의미
교육자와 피교육자의 복지를 위한 사회보장제도

### (2) 좁은 의미
교육 취약계층의 교육 불평등 해소 및 완화를 위한 지원
➤➤ 이 파트에서는 좁은 의미의 교육복지로 이해하시면 됩니다.

### (3) 지원 대상 : 교육취약학생

| | |
|---|---|
| **경제취약** | • 법정 저소득가정(국민기초생활수급자, 법정 한부모가족보호대상자, 법정 차상위계층)<br>• 교육비 지원학생(방과후학교 자유수강권 지원 기준: 중위소득 80% 이하)<br>• 기타 경제적 어려움으로 지원이 필요한 담임 추천 학생 |
| **문화취약** | • 다문화·북한이탈주민·외국인(난민 인정자 등) 가정의 학생 등 지원이 필요한 담임 추천 학생 |
| **적응취약** | • 심리·정서, 적응·관계, 기초학습 등 지원이 필요한 담임 추천 학생 |
| **집중관리학생** | • 교육취약학생 중 복합적인 어려움으로 집중 사례관리가 필요한 학생 |

➤➤ 모든 학생은 잠재적 발굴 대상에 해당되고, 전 교직원의 관심으로 대상 학생을 발굴하는 것이 중요합니다.

## ② 필요성 및 목적

(1) 학생 간, 지역 간 교육격차를 해소하여 외부 조건으로 발현되지 못하였던 학생의 잠재력 신장

(2) 경제적·정서적 안정감 획득을 통해 학업, 교우관계 등 다방면에서 건강한 학교생활 적응을 촉진

## ③ 학생맞춤통합지원체계

### (1) 정의

교육공동체의 협력적 소통을 통해 도움이 필요한 학생을 조기에 발굴, 개입, 지역사회 연계 등으로 학생 개개인의 상황에 따른 맞춤형 통합 지원을 제공함으로써 교육 사각지대를 해소하고 학생의 전인적 성장을 도모함

### (2) 학생맞춤통합지원팀

교육활동 중 교사 혼자서 지원하기 어려운 교육취약(도움이 필요한)학생을 교육공동체가 함께 협력하여 맞춤형 지원을 하기 위한 협의체

| 구분 | 절차 | 주요 내용 |
|------|------|-----------|
| 사전<br>준비 | 계획 수립 | • 구성원 간 역할 및 업무 분담<br>• 통합지원팀 운영 계획 수립<br>• 학교 교육과정 연계 방안 마련<br>• 관련 예산 확인 및 확보<br>• 통합지원팀의 역할 홍보<br>• 학생 문제 행동(상황)에 대한 교원 연수 계획 수립 및 운영 |
| 운영 | 발굴 및 지원 의뢰 | • 학교 모든 교직원이 학교 내외에서 이루어지는 교육활동 중에서 지속적 관찰을 통해 발굴<br>• 정서·행동검사 및 심리검사 결과 활용, 담임교사의 학생 상담을 통한 기초 조사, 전년도 선별되었던 위기학생 모니터링, 복합 위기징후학생 관찰 및 선별<br>• 사안 발생 시 담당부서 주관으로 처리하되, 통합지원 필요 시 회의를 거쳐 학생 모니터링 |
| | 통합 진단 및 지원 | • 관찰 및 지원 의뢰를 통한 대상 학생 선별 후 사례 회의 실시<br>• 지역 연계 방안 협의(지역기관, 지역교육복지센터, 교육지원청 등 연계) |
| | 지원 계획 수립 | • 위기요인별 지원 방법 및 교사별 역할 분담 회의 후 계획 수립 |
| | 지원 및 모니터링 | • 문제 상황 또는 행동 감소 시 일상적인 교육 활동 안에서 지도<br>• 담임교사·통합지원팀 위원의 지속적인 관찰, 필요 시 다시 요청 |

## ④ 서울형 교육복지사업 - 교육복지사업 학교

### (1) 지정 기준

① 거점학교 : 법정 저소득학생 36명 이상 학교

➠ 거점학교에는 교육복지 전문인력인 지역사회교육전문가가 배치됩니다. 지역사회교육전문가는 교육복지실을 운영하며 교육복지대상학생들을 지원하고 관리합니다. 또한 가정-학교-지역사회를 연결하여 사례관리를 하고 학생들이 필요한 지원을 받을 수 있도록 돕습니다.

② 일반학교 : 거점학교를 제외한 초·중·고 전부(국·사립초 기준 존재, 국제중 제외)

### (2) 운영 시 중점사항 : 프로그램 위주의 운영 방식 지양

➠ 프로그램, 물품 등 일괄적 지원보다 개개인 맞춤형 지원이 중요하다는 내용입니다.

## ⑤ 학생맞춤형 특화사업(교육청 사업)

### (1) 서울희망교실

① 정의 : 경제적·정서적 배려가 필요한 학생 4~10명에게 교원이 멘토가 되어 학습, 문화, 진로, 정서, 봉사 등 다양한 삶의 영역에서 적응력 향상을 돕는 서울형 교육복지 특화사업

② 세부 내용

• 희망교원(담임/비담임)이 3월 신청, 교원이 멘티 구성(교육취약학생 50% 이상)
• 영역별 지원 예시(⑦ 에서 확인)

### (2) 새꿈 프로그램

① 정의 : 학생맞춤통합지원을 위해 세종문화회관 등 문화예술기관과 협업하여 교육취약학생들을 대상으로 공연, 전시 등의 문화·예술체험을 지원하는 프로그램

② 세부 내용 : 매달 공연·전시 내용이 공문으로 발송되고 가족팀, 학교팀으로 신청

## ⑥ 지역연계 교육복지(교육복지안전망) - 지역교육복지센터

### (1) 정의

학교-지역기관-자치구와의 연계·협력으로 지역 내 교육복지 플랫폼(거점기관)을 구축하여, 교육복지 전문 인력이 배치되지 않은 일반학교의 교육취약학생에게 사례관리 및 학교 적응력, 정서·행동, 가족 지원 등의 영역에서 맞춤형 통합 지원을 위해 교육감이 지정한 지역기관

### (2) 학교와 협력 방안

학교 내 교육취약학생이 지역기관과 연계한 추가 지원이 필요할 경우 지역교육복지센터와 협력해 사례관리를 하고, 센터에서 필요 지역기관이나 지원 사업 등을 안내하여 촘촘한 교육복지안전망을 만들 수 있도록 함

예 돌봄 등 생활 지원, 정서·가족 지원, 진로, 학습·진학, 사회·문화 등 지역 내 관련 기관 안내

## 7 지원 방안

### (1) 심리 · 정서

지속적인 상담 및 모니터링, 상담 시 필요한 각종 재료 및 소통용 간식 구입, 편안한 상담을 위한 별도 장소 사용비, 부대 비용, 학교상담실 등 상담 전문가 연계, 정서안정 상담 프로그램 지원(자존감 회복·스트레스 해소 등)

### (2) 학습

학습멘토링, 문제집, 참고서 등 학습 보충을 위한 교재·도서 지원, 학습 지원에 필요한 각종 학용품·물품 구입 등

### (3) 문화 체험

박물관·전시관·영화관·공연장 등 공연문화 체험, 식문화(세계음식 등)·의문화·주거문화 등 다양한 문화체험 지원, 쿠킹클래스·공방체험 등 과정 체험

### (4) 경제 지원

교육비, 교육급여, 방과후학교 수강권, 졸업앨범비, 현장체험학습비 등

### (5) 생활 지원

생필품, 식료품, 방역물품, 위생용품 등(긴급복지 지원)

### (6) 건강 지원

병원비, 건강검진 및 치료비, 상담비, 심리검사비 등

### (7) 지역 연계

지역교육복지센터와 긴밀한 협조, 교육후견인제 등

> **지원 유의사항**
> - 단순 지원보다 지속적 관심 및 격려 필요
> - 교육취약학생 노출 방지 및 사회성 발달 등을 고려하여 일반학생도 활동비 사용 가능(단, 교육취약학생 참여비율 준수)
> - 일회성 활동 지양하고 교내·교외 활동 실시

## ⑧ 다문화학생 교육 지원

### (1) 서울다문화교육지원센터(다+온센터)

다문화학생을 위한 맞춤형 통합 지원, 다문화학생 공교육 진입 및 적응 지원, 다국어 서비스 지원(홈페이지 · 학교 공문서 · 교육 정보지), 다문화보호자 아카데미 실시(교육 정보지 '다가감' 보급), 이중언어 체험 교육

### (2) 기초학력 멘토링 '다가치 멘토링' 운영

교사-다문화학생 간 1 : 1 기초학력 맞춤형 멘토링

### (3) 다문화학생 맞춤형 심리 · 정서 상담 지원

이주배경 고려 이중언어 지원

### (4) 진로 멘토링 '꿈토링스쿨' 운영(패션, 미술, 음악 등)

### (5) 맞춤형 한국어교육(다중지원망) 운영

① 한빛마중교실(학적 생성 전), 다문화 특별학급(학교 내), 한국어교실(학교 내), 방과후/방학 중 한국어 학습(지역 연계)

② 다문화 언어강사(학습 · 적응 지원 전반, 국제결혼 이주여성), 이중언어교실(언어지도 위주), 다문화학생 보조인력(학습 및 적응 지원) 등

### (6) 징검다리과정 운영

초 · 중학교 입학 · 편입학 예정 다문화학생 대상 학교생활 조기 적응 지원

### (7) 학교폭력 예방 및 지원

· 예방 프로그램에 다문화교육 관련 내용 포함, 다문화교육 전문가 참여 강화

## ⑨ 탈북학생 교육 지원

### (1) [학기중]

① 학교별 1 : 1 맞춤형 멘토링(학교 내 담임/교과교사와 함께)

② 탈북학생 심리상담 프로그램

### (2) [주말] 탈북학생 토요 거점 방과후학교

① 탈북학생 밀집지역 학교 거점학교

② 탈북학생 맞춤형 방과후학교 프로그램(학습지도 · 체험활동 등)

③ 교과 · 진로 집중 멘토링 실시(1 : 1 멘토링)

### (3) [방학중] 탈북학생 방학학교 운영

① 방학기간을 활용한 캠프형 멘토링 프로그램

② 학습멘토링 여름방학학교, 진로탐색 겨울방학학교

### (4) 통일전담교육사 배치

탈북학생이 다수 재학하고 있는 학교에 남북하나재단 소속 재북교사출신 통일전담교육사 배치

## 10 정의로운 차등

### (1) 정의

보편 복지와 선별 복지가 추구하는 방향을 통합하는 개념으로, 교육 불평등 완화를 위해 균등한 기회 제공과 공정한 자원 배분을 통하여 모든 학생이 각자의 역량을 발휘하도록 하는 서울특별시교육청의 구체적인 정책 방향

* 대상 : 특수교육대상학생, 다문화학생, 학교 밖 청소년, 탈북학생 등

### (2) 학교평등관

① **허용적 평등** : 모든 사람이 교육받을 기회와 권리를 가질 수 있도록 하는 평등 예 의무교육제도 등

② **보장적 평등** : 취학을 방해하는 경제적·지리적·사회적 장애를 제거하여 실제적으로 교육받을 수 있는 기회를 보장하는 평등 예 무상 의무교육제도 등

③ **과정적 평등** : 교육에서 제공되는 교사, 교육목표, 교육과정, 교육방법, 학교시설 등의 차별이 없도록 하는 교육조건의 평등 예 고교평준화 정책 등

④ **결과적 평등** : 학생 간·계층 간·지역 간에 차이 없이 교육받은 결과, 도착점 행동이 같음을 추구하는 평등 예 교육복지우선지원사업(서울형 교육복지학교) 등

➠ 과거에는 문제로 기출될 정도로 중요한 개념이었으나 용어 자체에 대한 중요성은 떨어졌습니다. 하지만 답변으로 활용 가능성이 있기 때문에 확인하시기 바랍니다.

# 04 학업중단 예방

#사전 예방 #학업중단 숙려제 #학교 내 대안교실
20 상담 구상

**Intro**

매년 약 1만여 명의 서울 관내 학생들이 학교 부적응 등으로 학업을 중단하고 있습니다. 코로나가 끝나고 학교 정상화 이후 학업중단 학생 수가 매년 증가하는 추세입니다. 따라서 학교 내에서 학업중단 위기에 놓인 학생들을 집중 지원하여 학업중단을 예방해야 합니다. 이번 단원에서는 학생들의 학업중단을 예방할 수 있는 프로그램을 알아보도록 하겠습니다.

## 1 개념

### (1) 학업중단 위기학생

① 자퇴·유예 등의 의사를 밝힌 학생

② 담임·상담교사의 관찰을 통해 학업중단 위기가 있다고 판단되는 학생

③ 가정환경, 성적 부진, 학교 부적응 등 다양한 문제로 학업중단 위기에 놓인 학생

### (2) 학업중단 예방 필요성

① 학교 부적응 해소 및 다양한 교육 수요 충족을 위하여 공교육 내에서 개인의 소질과 적성에 맞는 대안교육 기회 확대 요구 증가

② 학업중단 위기학생의 맞춤형 대응 방안을 마련하여 공교육 내에서 학생의 필요에 맞는 교육 여건 조성 필요

③ 중단 없는 학업 지원으로 정의로운 차등을 실현

## 2 학업중단 예방 : 학교 내 상담 강화

**Comment**

무엇보다도 학업중단은 사전에 예방하는 것이 가장 좋습니다. 이를 위해서는 교사들의 관심과 관찰이 중요합니다. 학생이 평소와는 다른 행동을 보인다거나, 무기력한 모습 등의 징후가 있을 때 주의 깊게 살펴보고 상담을 통해 학생이 겪고 있는 어려움이 무엇인지 파악하여야 합니다.

(1) **상담**: 상담 주간을 통해 담임교사가 학생을 다각적으로 상담, 위(Wee) 클래스 구축 및 운영 확대로 단위학교 상담 활성화

(2) 학교 내 대안교실, 사제동행 멘토링 등을 통해 학업중단을 사전에 예방하고 학업중단 위기학생을 조기에 발굴하여 지원할 수 있음

## ③ 학업중단 유예

▶▶ 학생이 학업중단 의사를 밝히면 다양한 프로그램을 실시하여 학업중단을 재고하도록 해야 합니다.

### (1) 학업중단 숙려제

① **개념**: 학업중단 위기학생에게 최소 1주(7일) 이상 ~ 최대 7주(49일, 공휴일 포함)까지 숙려 기회를 부여하고, 상담 등 프로그램을 지원하여 신중한 고민 없이 이루어지는 학업중단을 예방하는 제도

② **효과**: 학업중단 숙려제에 참여한 학생들 중 65%가 학업에 복귀하여 충동적인 학업중단을 예방함

③ **내용**

| 항목 | | 내용 |
|---|---|---|
| 적용 대상 | | • 학교에 학업중단 의사를 밝히거나 학업중단 위기에 처해 있다고 판단되는 학생<br>• 미인정결석이 연속 7일 이상 또는 연간 누적 30일 이상인 학생 |
| 숙려 기간 | | • 토·공휴일 포함 최소 1주(7일) 이상 ~ 최대 7주(49일) 이하의 범위에서 학교장이 부여<br>• 학업중단 숙려제 참여는 학기당 1회에 한함[연간 49일(토·공휴일 포함)을 초과할 수 없음] |
| 상담·프로그램<br>운영 기관 | 단위학교 | • **숙려기간 중 상담**: 전문상담(교)사, 진로진학상담교사, 학교 내 대안교실 강사 등 실시<br>• 개인상담, 진로상담, 학업중단예방 프로그램(학교 내 대안교실 등) 등 활용 |
| | 외부기관 | • 서울특별시 청소년상담복지센터<br>• 서울특별시 학교 밖 청소년 지원센터 '꿈드림'<br>• 교육지원청 위(Wee) 센터<br>• 학생교육원 나래숲캠프(중등 위기학급 대상)<br>• 서울특별시교육청 학교 밖 청소년 도움센터 '친구랑'<br>• 기타 학교장이 인정하는 외부기관 |
| 상담 실시 | | • **숙려 기간 1~3주**: 교내 또는 외부기관 상담 주 1회 이상 실시<br>• **숙려 기간 4~7주**: 교내 또는 외부기관 상담 주 2회 이상 실시<br>• 학교 내 또는 외부기관의 프로그램에 참여한 경우 상담을 실시한 것으로 간주 |

### (2) 학교 내 대안교실

① **개념** : 학생의 소질과 적성에 맞는 교육 및 학교 부적응 해소를 위하여 학교 내에서 정규 교육과 정의 전부 또는 일부를 대체해 대안교육 프로그램을 운영하는 별도의 교실

② **내용**
- 정규 교육과정의 일부나 전부를 대체하는 별도의 대안학급을 편성하여 학교 부적응 학생, 위기 학생 등에 대해 맞춤형 프로그램 제공
- 대안교과를 중심으로 운영하며, 학교 환경 및 학생 특성에 따라 다양한 프로그램을 편성하여 운영함  음악·미술 치료, 진로·문화체험 등

### (3) 대안교육 위탁교육기관

① **개념** : 학업중단 위기학생 및 대안교육이 필요한 학생을 대상으로 대안교육 위탁교육기관에서 위 탁교육 실시

② 대안교육 위탁교육기관 교육과정(교과 및 창의적 체험활동 수업 등) 및 프로그램(준비적응교육, 특화형 진로교육, 상담·심리치유, 학생체험활동, 중단 없는 맞춤형 수업 등), 학습준비물, 학생복 지비 등을 지원

## ④ 학업중단 이후 : 학교 밖 청소년 지원센터('친구랑')

> **Comment**
>
> 학업중단 숙려제와 여러 대안 프로그램에 참여하였음에도 학생이 최종적으로 학업중단을 하겠다고 결정한 이후에는 학교 밖 청소년 지원센터에 학생의 정보를 연계하여 맞춤형 교육이나 지원을 받을 수 있도록 해야 합니다. 서울시교육청의 학교 밖 청소년 지원센터의 이름은 '친구랑'입니다.

(1) 학업중단 학생이 적기에 맞춤형 지원을 받을 수 있도록 학업중단 시 해당 학생의 정보를 학교 밖 청소년 지원센터에 연계

(2) 학교 밖 청소년 맞춤형 교육·진로·정서 지원 프로그램 운영

(3) 학교 밖 청소년 교육참여수당 지급

MEMO

S
I
G
N
A
L

합격 시그널

# 3

## 더 따뜻한 공존교육

# 01 생태전환교육

#교육과정 연계 생태전환교육 #기후 변화 주간 #환경 교육 주간 #생태전환교육의 달 #먹거리 생태전환교육
#기후행동 365 #농촌유학
24 초등 즉답, 24 중등 구상, 23 초등 즉답, 22 중등 교과 구상

**Intro**

'생태전환교육'은 무려 3년 연속으로 기출에 등장할 정도로 중요한 단원입니다. 기후위기 시대가 다가오면서 환경에 대한 인식 제고의 필요성이 날로 높아지고 있습니다. 특히나 미래 세대인 우리 학생들에게 생각과 행동 양식의 전환을 이끄는 적극적인 기후변화교육이 필요하며, 이러한 교육이 사회적으로 확산되도록 네트워크를 구축하고 실천하는 것이 중요합니다.
2022 개정 교육과정에 생태전환교육이 반영되어 초등학교와 중학교에서 환경교육이 의무화된 만큼, 이번 단원에서는 생태전환교육 방안에 초점을 맞추어 알아보겠습니다.

## ① 개념

### (1) 정의

기후위기 비상시대, 인간과 자연의 공존과 지속 가능한 삶을 위하여 개인의 생각과 행동 양식뿐만 아니라 조직문화 및 시스템까지 총체적인 전환을 추구하는 교육

\* 지속가능발전교육(Education for Sustainable Development) : 모든 사람들이 질 높은 교육의 혜택을 받을 수 있으며, 이를 통해 지속 가능한 미래와 사회 변혁을 위하여 필요한 가치(인권 존중 · 미래 세대 존중 · 생태적 다양성 존중 · 문화적 다양성 존중 등), 행동, 삶의 방식을 배울 수 있는 사회를 지향하는 교육

### (2) 필요성

① 미래 세대에게 기후위기 · 생태계 파괴 · 에너지 문제를 인식시키고, 생각과 행동 양식의 전환을 이끄는 적극적인 기후변화교육 필요

② 학교 교육과정 연계 생태전환교육과 일상생활 속 생태전환 · 탄소중립 실천에 대한 요구 증대

③ 개인의 실천을 넘어 사회의 변화를 이끄는 생태전환교육의 사회적 확산 필요

④ 급변하는 국제 사회의 기후 이슈에 관심을 갖고, 전 지구적 기후위기 대응을 위해 글로벌 네트워크와 소통하고 변화의 주체로서 함께 참여하는 기회 마련 필요

**💬 Comment**

② 부터는 생태전환교육을 실현할 수 있는 방안에 대해 이야기해보겠습니다. 교과 · 담임교사로서 생태전환교육을 어떻게 운영할 것인지 여러 방면으로 고민해보시기 바랍니다.

## ② 교육과정 연계 생태전환교육

### (1) 교과 연계

① 교과 내 주제 중심 수업, 교과 간 융합 또는 주제 통합 수업, 국제 공동 수업, 교육과정 재구조화, 프로젝트 수업 등

② 에너지, 자원, 물·탄소 순환, 환경 오염(대기·해양·토양 등), 기후 변화, 지속가능발전 등 관련 단원 성취기준 분석 후 다양한 형태의 수업 진행

| 과목 | 수업 예 |
|---|---|
| 국어, 사서 | 생태 분야 독서 활동 및 감상문 작성하기 |
| 수학, 과학 | • 우리 지역의 대기 오염 지수 조사하고 그래프, 통계 자료 만들기<br>• 토양 산성화 줄일 수 있는 방안 토론·토의하기 |
| 기술가정 | 친환경 소재를 이용한 의류 제작해보기 |
| 보건 | 의료용 폐기물 재활용 방안 조사하기 |
| 체육 | 자전거 타기(자·타·공·인) 수업을 활용한 탄소발자국 감소 실천하기 |
| 사회, 역사, 영어 | 기후위기시대 전 세계적 환경 관련 협약을 살펴보고 친구들에게 한글로 알려주는 포스터 제작해보기 등 |
| 미술 | 재활용품을 활용한 작품 만들어보기 |
| 영양 | 그린급식 식단 메뉴 작성해보기 |

### (2) 학교급별 교육과정 내 생태전환교육

① 초등학교: 초1~2 꿈잼 교실, 초3~6 우리가 꿈꾸는 교실, 공동체형 인성교육과 연계

② 중학교: 자유학기(년)제, 전환기 시기 연계 생태전환교육

③ 고등학교: 선택 교육과정 및 수업량 유연화에 따른 학교 자율적 교육활동 연계

### (3) 범교과 학습: 생태전환교육, 환경·지속가능발전교육, 기후위기 대응 수업 등

### (4) 창의적 체험활동: 학급 및 학교 특색활동, 학생회활동(실천활동 및 캠페인), 동아리활동, 봉사활동, 진로 관련 자율활동 등

> 예 기후위기 VR 게임 행사, 학교 텃밭 가드닝, 친환경 먹거리 실천 캠페인, 에너지 절약 지킴이 운영 등

### (5) 지역 연계 생태전환교육과정 운영

① 교내·외 생태환경 활용

② 에너지 체험, 재활용 등이 가능한 시설 및 기관 활용

③ 생태전환교육 관련 공공기관, 민간단체, 사회적 기업 등 지역사회 자원 활용

④ 지역사회 기반 학부모 참여 확대

## ③ 기후위기 대응을 위한 학교 문화 조성

(1) 학교 내 일회용품 사용하지 않기

> 예 개인 컵·손수건 사용 생활화, 일회용품·플라스틱 제품 구입 및 사용하지 않기

(2) 학교 행사 풍선 장식 자제, 현수막 및 입간판 제작 지양(PPT 화면 활용)

(3) 종이 사용을 최소화한 수업 및 회의

> 예 개인 모바일 기기를 활용한 종이 없는 회의, 센클라우드를 활용한 교직원 회의 자료 공유, 종이 학습지 최소화, 디벗을 활용한 학습지 배부 등

(4) 자원순환 실천하기

> 예 학급별 일회용품 없는 날, 손수건 day, 교복, 중고책, 학용품 나누기 활동 등

(5) 기후 변화 주간, 환경 교육 주간 운영하기(6월: 생태전환교육의 달)

> 예 일회용품 덜 사용하기 선언문 작성 후 텀블러 사용 인증하기 캠페인, 초록 독서(지구를 위한 책 읽기), 환경 영화제, 세계 기후 포럼 참여, 학생 대상 공모전 등

### (6) 먹거리 생태전환교육

① 정의: 기후위기시대를 극복하고 인간과 자연의 공존과 지속가능성을 위해 먹거리에 대한 인간의 생각과 행동 양식의 총체적 변화를 추구하는 교육

② 학교 교육과정과 연계한 먹거리 생태전환 교육과정 운영

③ 먹거리 생태전환 동아리, 학생 지킴 활동 운영

④ 체험 프로그램: 지역사회와 함께하는 유기농업 체험교육 프로그램

⑤ 그린급식 운영: 채식에 대한 생태친화적 인식 제고(채식에 대한 거부감이 생기지 않도록 채식 먹거리에 대한 다양한 체험 기회 제공)

- 그린급식 월 2회 운영 권장 및 그린급식 바(bar)* 운영

  *그린급식 바: 고기를 먹지 않으려는 학생이 채식을 선택할 수 있도록 하는 샐러드바와 같은 별도의 그린바

- 지구를 살리는 채식 식단 공모 및 운영, 학교 텃밭을 활용한 그린급식 교육, 지역 농축산물을 이용한 로컬푸드데이 등 운영

## 4 생태문명을 지향하는 협력적 네트워크 구축

| 네트워크 | 활동 내용 |
|---|---|
| 교원 실천 네트워크:<br>교사 기후행동 365 | • 기후위기 시대를 살아가는 교사의 역할 제고: 교육변화 필요성 인식, 생태적 감수성 함양 및 실천 행동 참여<br>• 교육과정 연계 생태전환교육 수업 및 교육활동<br>• 일상생활에서 자발적 기후행동 실천 및 연대·협력 |
| 학생 실천 네트워크:<br>학생 기후행동 365 | • 기후위기시대를 마주한 학생으로서의 주체적 의식 함양<br>　− 기후변화에 관한 관심을 갖고 그 심각성과 사회적 흐름 인식<br>　− 생태 감수성을 바탕으로 함께 지켜나갈 가치에 대한 공감대 형성<br>• 기후행동 실천<br>　− 생태전환교육을 통한 문제의식 갖기, 매일 매일 자신만의 가치 있는 기후행동 실천<br>　− 학생회·학급·동아리 단위의 학생 네트워크 조직, '기후행동 실천 약속' 기획 및 캠페인 참여<br>　− '학생 기후행동 365' 참여를 통한 기후행동 실천 문화 형성 |

## 5 도시 − 농촌 간 생태체험 교류

### (1) 흙을 밟는 도시아이들 '농촌유학' 운영

서울 학생이 일정 기간 흙을 밟을 수 있는 농촌의 학교에 다니면서 자연-마을-학교 안에서 계절의 변화, 제철 먹거리, 관계 맺기 등의 경험을 통해 생태시민으로 성장하도록 지원하는 프로그램

### (2) 생태체험교류 프로그램 운영

도시−농촌 간 이해의 폭을 넓히고 교류 활성화를 위한 온·오프라인 생태전환교육 운영, 1박 2일(2박 3일), 단기 홈스테이 형태 체험형 프로그램 등

# O2 세계시민 · 통일교육

#세계시민 #다양성 #공존 #상생 #글로벌 역량 #평화 감수성 #인권
19 중등 비교과 구상

**Intro**

세계시민교육은 서울시교육청의 교육비전인 '다양성이 꽃피는 공존의 혁신미래교육'에 나타나는 '다양성'과 '공존'의 가치를 함양할 수 있는 중요한 교육이에요. 교과를 통한 교육, 민주시민교육, 평화교육(회복적 생활교육), 환경교육, 양성평등교육, 인권교육, 다문화교육 등 범교과와 연계하여 운영할 수 있어요. 학생들의 세계시민역량을 증진시키기 위한 교육 방안을 고민해보세요.
통일교육은 다소 민감한 주제일 수 있어 출제 가능성이 높지는 않아요. 그래도 분단국가의 국민으로서 건전한 안보관을 정립하고 통일의 실현의지와 태도를 확립할 수 있도록 하는 통일교육을 어떻게 실천할지 살펴보세요.

## ❶ 세계시민교육

### (1) 정의

인류의 보편적인 평화와 인권, 그리고 다양성과 관련된 지식과 기술을 학습하고 가치를 내면화시키며 책임감 있는 태도를 배양하는 교육

### (2) 목적

① 공존과 상생의 글로벌 역량을 갖춘 시민 육성

② 삶 속에서 포용과 공존을 실천하는 세계시민 육성

③ 사회적 갈등, 생태 위기 등 세계 공동 문제에 대응할 수 있는 평화 감수성*을 갖춘 세계시민 육성

* 평화 감수성: 공공연하고 직접적인 물리적 폭력뿐만 아니라 은밀하고 구조적인 폭력(정치·경제·사회·문화적 불평등)까지 인간의 자아실현을 저해하는 비평화 상황을 민감하게 감지하고, 문제를 해결하고자 하는 책임감

### (3) 유사 개념

| 국제이해교육 | 다섯 가지 핵심주제(문화 간 이해, 세계화, 지속가능발전, 인권, 평화)를 바탕으로 이루어지는 교육 |
|---|---|
| 지속가능발전교육 | 모든 사람이 질 높은 교육의 혜택을 받을 수 있으며, 이를 통해 지속 가능한 미래와 사회변혁을 위하여 필요한 가치·행동·삶의 방식을 배울 수 있는 사회를 지향하는 교육 |

| 문화<br>다양성<br>교육 | 모든 사람이 문화와 문화다양성의 개념을 이해하고 체득하여 간문화주의적 실천방법을 통해 행동과 표현으로 이행하도록 하고, 다양성과 관용이 창조의 핵심요소임을 이해하고 체득하도록 하며, 민족적·언어적 소수 집단과 토착민 및 사회적 취약집단뿐만 아니라 다수 집단도 대상으로 하는 문화 간 대화 능력과 기술을 함양할 수 있도록 하는 교육 |
|---|---|
| 다문화<br>교육 | • 다문화교육은 소수민족집단 문화의 보존, 사회적 행동, 참여를 위한 비판적 사고능력 배양, 자존감 형성 등 논지에 따라 매우 다양한 정의와 내용을 가지고 있음<br>• 차이와 다양성의 존중, 편견과 차별의 제거 등을 강조한다는 측면에서 국제이해교육 및 세계시민교육의 내용과 상당한 공통점을 가지고 있음 |

## (4) 교육 방안

① 교육과정 재구성을 통한 수업 실시

- (예시) 역사: 평화와 공존의 관점에서 동아시아 역사와 문화 이해하기
- (예시) 도덕: 평화로운 세상을 위한 규칙 만들기, 정의로운 사회 시민으로서 정책 제안하기
- (예시) 영어+사회 융합: 다양한 문화권의 내용을 모둠별로 조사하고 이를 영어로 소개하는 상호문화이해교육

② 세계시민교육 주제를 바탕으로 한 주제 중심 수업 실시

- (예시) 주제: 평화, 인권, 빈곤, 상호의존성, 경제 정의, 환경 및 에너지, 공정무역, NGO 활동, 그 밖에 지속적 발전(SDGs)과 관련된 주제들

③ 창의적 체험활동에서의 세계시민교육 운영

- (예시) 자율활동: 아동 노동 문제, 다문화·국제이해교육, 윤리적 소비, 환경교육, 인권교육, 공동체 참여 등을 주제로 사회조사, 탐구 등 실시
- (예시) 동아리활동: 소프트웨어 동아리(저개발국가 아동의 교육을 위한 앱 개발), 미술 동아리(난민 지원을 위한 미술 전시회)

④ 《지구촌과 함께하는 세계시민》 교과서 활용

⑤ 서울다문화교육지원센터와 연계하여 다문화·세계시민교육 프로그램 운영

⑥ 서울시교육청에서 추진하는 '국제공동수업'을 통한 국제 수업 교류 증진

- 목적: 지구촌 문제를 함께 고민하고 연대하는 세계시민성 신장
- 방법: 한국, 아시아, 유럽 학교 간 학급 단위의 온라인 공동수업, 실시간·비실시간 국제 공동수업을 탄력적으로 운영하여 다양한 대륙의 국가와 수업 교류 추진
- 내용: 통번역 프로그램을 이용하여 세계 현안을 토의·토론

## ② 통일교육

### (1) 정의

자유민주주의에 대한 신념과 민족공동체의식 및 건전한 안보관을 바탕으로 통일을 이룩하는 데 필요한 가치관과 태도를 기르도록 하기 위한 교육

### (2) 목적

① 자유민주주의에 대한 신념과 민족공동체의식 및 건전한 안보관을 통한 통일 실현의지 고양

② 보편적 가치인 평화와 인권을 기반으로 하는 통일관 확립

③ 다문화교육, 평화교육, 북한이해교육 등을 기반으로 하는 상호 간의 이해, 배려, 소통능력 배양

### (3) 교육 시 유의점

① 정치적·파당적·종교적 또는 개인적 편견을 전파하기 위한 방편으로 이용되지 않도록 객관적 사실과 기록에 입각하고, 내용의 적정성·객관성·중립성을 유지하여야 함

② 초·중등학교 교육과정 및 통일교육 안내자료(통일부 국립통일교육원) 등 관련 정부기관에서 제시한 내용을 기반으로 실시

③ 강의, 토론, 과제 수행, 시청각 교재 활용, 현장 체험 등 다양한 교육방법을 활용하여 학생이 자율적으로 참여하는 학생 체험·참여 중심의 교육 실시

④ 사회적으로 민감하거나 정치적 이슈가 될 수 있는 사안 등은 파급효과를 신중히 고려하는 등 사전 계획 수립 시 충분한 검토를 거쳐야 함

### (4) 교육 방안

① '평화·통일교육 주간' 운영 (5월 넷째 주)

② 국립통일교육원(https://www.uniedu.go.kr) 누리집을 활용한 통일교육 실시
  • 학교통일체험교육, 찾아가는 학교통일교육
  • 탑재된 영상, 도서, 웹툰, 에듀테크(메타버스 및 AR 등) 활용

③ '학교로 찾아가는 통일버스'를 통한 현장 체험 프로그램 실시: 통일전망대, 서해수호관 방문 등

④ 교과 및 창체시간을 이용하여 '통일'을 주제로 '역지사지 공존형 토론' 운영

# 03 민주시민교육

#민주시민 #논쟁 #선거 #사회 현안 #역지사지 공존형 토론수업 #참정권 #학생봉사활동 #학생자치 #학생
자치참여예산제 #학생 참여 선순환체제
24 중등 구상, 19 초등 구상, 19 중등 교과 구상, 19 중등 비교과 구상

**Intro**
민주시민교육에서는 2024학년도 중등 2차 면접 문제로 '학생자치'와 관련된 내용이 출제되었어요. 교육과정과 연계한 사회 현안 교육은 앎과 삶을 일치시키는 민주시민교육 방안으로서 서울시교육청에서 강조하고 있으므로 사회 현안 주제에는 무엇이 있는지, 이를 교육과정과 어떻게 연계하여 다룰 것인지 생각해보세요.

## 1 정의

각급 학교에서 학생, 학부모, 교직원을 대상으로 민주시민으로서 사회 참여에 필요한 지식, 가치, 태도를 배우고 실천하게 하는 교육

## 2 기본 원칙

(1) 「대한민국헌법」이 규정한 가치와 이념을 계승하고, 민주주의 발전에 기여한다.

(2) 우리 사회에서 논쟁적인 것은 학교에서도 논쟁적으로 다루어질 수 있어야 한다. 다만, 사적인 이해관계나 특정한 정치적 의견을 주장하기 위한 방편으로 사용해서는 아니 된다.

(3) 주입식 방식이 아닌 자유로운 토론과 참여를 통한 교육방식으로 이루어져야 한다.

(4) 학교 구성원 누구나 민주시민교육에 대한 보편적 접근성은 보장되며 자발적인 참여를 지원한다.

## 3 교육 내용

(1) 헌법의 기본 가치와 이념, 기본권 보장, 민주주의를 비롯한 제도의 이해와 참여방식에 관한 지식

(2) 논쟁되는 사안을 해결하기 위한 합리적 의사소통방식, 비폭력 갈등 해소 방안, 설득과 경청 등에 관한 기능과 태도

(3) 단위 학교의 민주적 의사결정구조와 절차 및 참여방식

(4) 세계시민으로서의 정체성 확립 등 교육감이 학교민주시민교육에 필요하다고 인정하는 내용

(5) 지방자치분권의 기본원리와 이해, 주민의 권리 및 참여를 위한 의사소통과 합리적 의사결정, 갈등 조정과 문제해결 등의 역량과 자질 함양

(6) 선거의 의미·기능, 선거법 및 선거제도의 이해, 공약의 비교·분석 및 토론 등 선거법령에 따른 선거 전반에 관한 내용

(7) 우리나라 민주주의의 발전과정과 민주화운동의 역사

## ④ 교육 방안

### (1) 교육과정 연계 사회 현안 교육 실시

① 역지사지 공존형 토론수업: 공존의 기반을 마련하는 새로운 토론수업 모형으로서 사회 현안을 수업의 주제로 삼음. 풍부한 자료를 바탕으로 다양한 의견을 모두 살피고, 상호 공존을 위한 대화와 합의 도출 과정을 경험할 수 있음

＊ 토론수업 모형

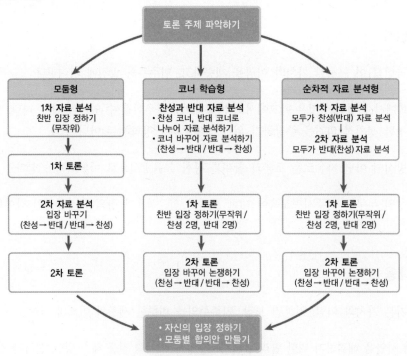

| 토론 전 | 풍부한 자료를 통해 해당 현안의 찬성과 반대 의견을 충분히 파악 |
|---|---|
| 토론 중 | 개인의 의견에 근거하지 않고 무작위로 1차 토론의 찬성/반대 입장을 정함. 2차 토론에서는 1차 토론과 상반된 입장을 취함. 이로써 찬성과 반대 두 입장을 모두 경험하고 역지사지를 실천 |
| 토론 후 | 토론의 목적으로 '시민적 합의' 중시. 그러나 합의 자체가 아니라 합의로 나아가기 위해 서로의 의견과 근거를 존중하는 과정을 더 중요하게 생각. 합의에 이르지 못한 경우에도 자신의 의견에 대하여 근거를 바탕으로 시민적 예의를 갖추어 말하고 상대를 존중하며 경청과 대화를 실천 |

② 사회 현안 주제와 예시

| 주제명 | 사회 현안 | 예시 |
|---|---|---|
| 정보화 | 인공지능 | 기술 공유화, 직업의 변화, 예술 인정(지적 재산권), 인공지능과 윤리 |
| 환경 | 기후 변화 | 그린워싱, 탄소배출권, 기후 난민 |
| 인구 변화 | 초고령화 | 노인복지 연령 기준, 정년 연장, 돌봄 비용 증가 |
| | 다문화 사회 | 난민 수용, 이주민 노동, 종교시설 권리 |
| 생명 존중 | 동물복지 | 반려동물 가족 인정, 동물 실험, 반려동물세 |
| 문화 현상 | 대중문화 | 연예인 군면제, 표현의 자유 |
| 인권 | 사회적 소수자 | 차별금지법, 촉법소년 기준 연령, 노키즈존, 장애인 이동권 |
| 노동 | 노동 인권 | 청년 아르바이트, 최저임금, 산업재해 |
| 평화 | 전쟁과 국제 협력 | 영토권 분쟁, 군비 경쟁, 국제기구의 역할 |
| 학생자치 | 학교운영 참여 | 학교운영위원회 학생 참여 의무화, 상·벌점제 개선, 자치활동 의결 방식 |

⑵ **참정권 교육 실시**

① 중앙선거관리위원회와 연계한 청소년 선거 교육, 선거·정치 미디어 리터러시

② 모두의 참여를 보장하는 공정하고 민주적인 학생회 선거 문화 조성

⑶ **지역사회와 함께하는 학생봉사활동 실시** 예 고령층 디지털 역량 강화를 위한 봉사활동

## ⑤ 학생자치활동

### (1) 정의

학생이 주체가 되어 운영하는 집단 활동으로, 학급회·동아리 등 특정 유형에 한정되지 않고 학생 스스로 학교 내·외의 학생자치기구를 통해 사회성과 협동심을 고양하고 민주시민의 기본 자질과 태도를 함양할 수 있는 모든 활동

### (2) 담임교사로서 학급에서의 학생자치 실현 방안

| | | |
|---|---|---|
| 학급<br>자치 | 개념 | 학급 학생들의 자율과 참여를 바탕으로 민주적 의사결정과정을 통해 합의된 의견을 실천하는 학급 단위의 학생활동 |
| | 필요성 | 학생들이 소속감을 느끼는 공동체의 기초 단위로서 학급이 민주적으로 운영되어야 학교가 민주적으로 변화하며 학생은 민주시민으로 성장 |
| | 영역 | 학급의 자율적 운영활동, 공동체 형성활동, 학급의 문제해결활동, 학교 및 지역사회와 연계활동 등 |
| 학급<br>회의 | 중요성 | 학생자치는 학급자치로부터, 학급자치는 학급회의로부터 시작함. 모든 학생이 다양한 의견을 공유하고 조율하는 과정에서 민주시민으로서의 역량을 기르고 연습할 수 있음 |
| | 운영 | 주제와 상황에 따라 다양한 형식과 절차를 활용 가능하며 공동의 합의를 이끌어낸다면 언제, 어디서나 진행 가능 |
| | 주제 | 자율적인 학급운영 규칙 정하기, 공동체 형성(생일파티·체육대회 준비 등), 학교 교육활동 개선에 대한 제안, 학생회와 연계한 학급회의 등 |

### (3) 학교운영에서의 학생 참여 기회 제공

① 학생의 학교생활과 관련한 사항에 대해서 학생대표의 학교운영위원회 참석 : 학교헌장과 학칙의 제·개정, 방과후 교육활동 및 수련교육, 학교급식, 학생의 학교생활과 밀접한 사항 등

② 학생(급)회·대의원회 논의 결과를 학교의 정책 등 의사결정에 반영

③ '학생자치참여예산제' 운영

➡ 학생이 직접 사업 기획·예산 편성·운영·결산 과정에 함께 참여함으로써 '학생이 디자인하는 학교생활'의 경험을 제공하는 제도예요.

- 학생자치활동 예산 지원을 통한 자율과 책임의 성숙한 민주시민 성장 도모
- 학생회 운영, 학생회 역량 강화 프로그램 운영, 학생(학급·동아리·학생회) 제안 아이디어 실현 및 학생회 선거 공약 이행 등에 예산 사용
- 학생이 제안한 사업이 내실 있게 구현될 수 있도록 학교 전체의 적극적인 관심과 협조 필요

④ 학생 참여 선순환체제 정착

- 학교장과 학생회장단의 간담회 정례화(학기당 1회 이상)
- 학생(회) 건의사항에 대한 학교장 피드백의 공식화(직접 답변, 게시판, 학교 홈페이지, 교내 방송, 공지 등)

# 학생인권

#학생인권 조례 #인권 친화 #상호 존중 #인권역량 #노동인권

**Intro**

학생인권 파트의 일부 내용은 2024 시책에서 '더 건강한 안심교육' 단원의 '인권존중 학교문화 조성'에 해당했던 내용이지만, 단원의 연계 내용 및 선생님들의 편리한 공부를 위해 '더 평등한 출발' 단원으로 옮겼어요. 대한민국 국민이라면 누구나 갖는 권리는 학생들에게도 보장되어야 하기 때문에, 서울시교육청에서는 교육활동에서의 학생 권리뿐만 아니라 일상생활이나 노동 등 다양한 분야에서의 주요 권리를 보장할 수 있도록 학생인권 보호를 위해 노력해 왔어요.

그런데 최근 학생인권 조례가 교육활동 침해의 원인 중 하나로 지목되면서 충남에 이어 서울시의회에서도 학생인권조례 폐지안이 통과되었어요. 그럼에도 불구하고 서울시교육청에서는 이에 대한 재의 요구를 하고, 새로운 '제3기 학생인권종합계획'을 발표했어요. 학생인권과 교권을 상충되는 개념이 아니라 상호 보완적인 개념으로 보았기 때문이죠. 시책에서도 이와 같은 맥락에서 "인권존중 학교문화 조성"으로 표현하였어요. 따라서 이번 단원에서는 학생들이 보장받을 수 있는 권리와 인권존중문화를 만들기 위해 우리가 어떻게 할 수 있는지 알아보도록 해요.

## ① 정의

「대한민국헌법」 및 법률에서 보장하거나 「UN 아동권리협약」 등 대한민국이 가입·비준한 국제인권조약 및 국제관습법에서 인정하는 권리 중 학생에게 적용될 수 있는 모든 권리

## ② 주요 권리(서울특별시 학생인권 조례)

➡ 학생인권 조례의 폐지 여부와 상관없이 학생인권 조례에 나타난 각종 권리는 곧 학생인권에는 구체적으로 무엇이 있는지를 보여줘요. 따라서 어떤 것들이 있는지 살펴보세요.

| | 권리 | 주요 내용 |
|---|---|---|
| 1 | 차별받지 않을 권리 | • 성별, 종교, 나이, 사회적 신분, 출신지역, 출신국가, 출신민족, 언어, 장애, 용모 등의 신체조건, 임신 또는 출산, 가족형태 또는 가족상황, 인종, 경제적 지위, 피부색, 사상 또는 정치적 의견, 성적 지향, 성별 정체성, 병력, 징계, 성적 등을 이유로 차별받지 않을 권리 |
| 2 | 폭력 및 위험으로부터의 자유 | • 체벌, 따돌림, 집단괴롭힘, 성폭력 등 모든 물리적 및 언어적 폭력으로부터 자유로울 권리<br>• 특정 집단이나 사회적 소수자에 대한 편견에 기초한 정보를 의도적으로 누설하는 행위나 모욕, 괴롭힘으로부터 자유로울 권리 |

| 3 | 교육에 관한 권리 | • 자신의 소질과 적성 및 환경에 합당한 학습을 할 권리<br>• 자율학습, 방과후학교 등 정규교육과정 외의 교육활동을 자유롭게 선택할 권리<br>• 건강하고 개성 있는 자아의 형성·발달을 위하여 과중한 학습 부담에서 벗어나 적절한 휴식을 누릴 권리 |
|---|---|---|
| 4 | 사생활의 비밀과 자유 및 정보의 권리 | • 복장, 두발 등 용모에 있어서 자신의 개성을 실현할 권리<br>• 소지품과 사적 기록물, 사적 공간, 사적 관계 등 사생활의 자유와 비밀이 침해되거나 감시받지 않을 권리<br>• 가족, 교우관계, 성적, 병력, 징계기록, 교육비 미납사실, 상담기록, 성적지향 등의 개인정보를 보호받을 권리 |
| 5 | 양심·종교의 자유 및 표현의 자유 | • 세계관, 인생관 또는 가치적·윤리적 판단 등 양심의 자유와 종교의 자유<br>• 다양한 수단을 통하여 자유롭게 자신의 생각을 표현하고 그 의견을 존중받을 권리 |
| 6 | 자치 및 참여의 권리 | • 학생자치조직의 구성, 소집, 운영, 활동 등 자치적인 활동을 할 권리<br>• 학칙 등 학교 규정의 제·개정에 참여할 권리 |
| 7 | 복지에 관한 권리 | • 학습부진·폭력피해·가정위기·비행일탈 등의 각종 위기상황 극복과 적성 발견, 진로모색 등 정체성 발달을 위하여 학교에서 상담 등의 적절한 지원을 받을 권리 |
| 8 | 징계 등 절차에서의 권리 | • 학생에 대한 징계는 징계사유에 대한 사전 통지, 공정한 심의기구의 구성, 소명 기회의 보장, 대리인 선임권 보장, 재심요청권의 보장 등 인권의 기준에 부합하는 정당한 규정과 적법 절차에 따라 이루어져야 함 |
| 9 | 권리침해로부터 보호받을 권리 | • 인권을 옹호하고 자기나 다른 사람의 인권을 지키기 위한 활동에 참여할 권리 |
| 10 | 소수자 학생의 권리 보장 | • 교육감, 학교의 설립자·경영자, 학교의 장 및 교직원은 빈곤 학생, 장애 학생, 한부모가정 학생, 다문화가정 학생, 외국인 학생, 운동선수, 성 소수자, 일하는 학생 등 소수자 학생이 그 특성에 따라 요청되는 권리를 적정하게 보장받을 수 있도록 해야 함 |

## ❸ 보호 및 증진 방안

### (1) 인권 친화적인 학교 문화 조성

① 학생을 포함한 학교 구성원들의 참여를 통한 민주적 학생생활규정 제·개정

② 학생자치활동 활성화

③ 학교 안 소통구조 활성화

④ 혐오·차별 예방 교육 실시

⑤ 성인지 감수성을 향상하고 성별 고정관념 및 편견 개선을 위한 성평등교육 실시

⑥ 소수자 학생 권리 보호 ⑩ 장애인 편의시설 설치, 탈북·다문화 학생 맞춤형 멘토링

➠ 민주시민교육, 학교폭력 예방교육, 교육복지, 기초학력 보장 등의 내용과 함께 생각해보세요.

## (2) 상호 존중 학생인권교육 실시

① 교육과정 연계 상호 존중 인권교육 및 사회 현안 공존형 토론교육 등을 통한 인권역량 증진

② 소수자 학생 권리 보호를 위한 교육 실시 **예** 장애이해교육, 문화다양성교육

③ 학생인권교육 지원단 인력풀 활용 : 강의 또는 운영 현황 및 사례 공유

④ '학생인권의 날' 운영 : 학생인권에 대한 관심을 유도할 수 있는 자치활동 진행, 이와 관련한 교내 대회 실시

⑤ 서울특별시교육청 학생인권교육센터, 국가인권위원회 교육센터 누리집 활용

# ④ 노동인권

## (1) 개념

① **노동인권** : 「대한민국헌법」 및 법률이 보장하거나 「경제적 · 사회적 및 문화적 권리에 관한 국제규약」 등 대한민국이 가입 · 비준한 국제인권조약 및 국제관습법에서 인정하는 권리 중 노동과 관련된 모든 권리

② **노동인권의 종류** : 안전하게 일할 권리, 노동 3권(단결권 · 단체교섭권 · 단체행동권), 정당한 임금을 받을 권리, 휴게공간 제공 등

## (2) 노동인권교육

① **정의** : 노동인권과 관련된 지식을 습득하고 노동인권을 존중하는 태도와 감수성을 배양하여 노동인권과 관련한 합리적인 의사결정능력을 향상시키도록 하는 모든 교육

② **필요성** : 만 13세 이상 청소년은 법적으로 일을 할 수 있어 '일하는 청소년'이 늘어나고 있음. 그러나 부당처우를 받고도 이에 대해 대응하지 못하는 청소년이 많아 노동인권에 대한 교육이 필요함

③ **내용**

- **직업교육으로서의 노동인권교육** : 진로 · 직업의 선택에서 노동인권이 제대로 보장되는 양질의 일자리를 찾도록 도와주며, 직업현장에서 발생할 수 있는 여러 종류의 노동인권 침해를 예방하기 위한 노동법적 지식 중심의 권리교육

- **민주시민교육으로서의 노동인권교육** : 올바른 노동의 가치에 대한 인식과 존중, 산업민주주의와 노동자 참여, 그리고 경제민주주의 등 시장경제하에서 민주적인 시민으로서의 역할을 수행할 수 있도록 하는 시민성 함양 중심의 가치교육

④ **교육 방안**

- 교육과정 중심의 노동인권교육 실시 **예** 서울특별시교육감 인정교과서 《중학교 청소년 노동인권》을 활용한 과목 개설 및 수업 등

- 서울시교육청에서 발간한 <역사과 교육과정 연계 노동인권 지도 자료>를 활용한 역사 교과 수업 진행 **예** 아프리카 노예, 아동 노동, 산업혁명 이후 노동자, 전태일 등

# 05 인성교육

#공동체형 인성 #존엄 #포용 #공존 #자율 #책임 #존중 #나눔 #연대 #평화
20 중등 구상, 20 중등 구상 추가, 19 초등 즉답, 19 초등 즉답 추가

Intro

요즘 책임과 의무는 경시하고 공동체의 목표를 훼손하면서까지 개인의 권리를 주장하는 경우가 늘고 있어요. 이러한 모습이 학교에서도 나타남에 따라 서울인성교육에서는 그동안 지향해 왔던 '협력적 인성'을 바탕으로 한 걸음 더 나아간 '공동체형 인성'을 강조하고 있어요. 교육 방안에서 볼 수 있듯이 인성교육은 다양한 범교과교육과 연계하여 진행할 수 있으므로, 다른 주제들을 공부할 때 해당 교육이 어떻게 인성교육의 핵심 가치·덕목을 함양시킬 수 있을지도 함께 생각해보세요.

## 1 개념

### (1) 정의

자신의 내면을 바르고 건전하게 가꾸고 타인·공동체·자연과 더불어 살아가는 데 필요한 인간다운 성품과 역량을 기르는 것을 목적으로 하는 교육

### (2) 서울인성교육의 목표: '공동체형 인성' 함양

### (3) 공동체형 인성

① 정의: 모든 존재의 존엄성에 대한 인식을 바탕으로 차이와 다양성을 포용하며 건강하게 공존하는 세상을 함께 만들어갈 수 있는 역량을 갖춘 인성

② 3대 핵심 가치 및 6가지 덕목

| 핵심 가치 | | 덕목 |
| --- | --- | --- |
| 존엄 | 자신의 일을 <u>자율</u>적으로 결정하고 그 결과에 <u>책임</u>을 지며 자신을 성찰하면서 성장해 나가는 사람으로서의 가치 | 자율 / 보다 보편적인 자신의 원칙을 세우기 위해 노력하고, 옳고 그름을 스스로 판단하고 행동할 수 있는 역량 |
| | | 책임 / 자율적으로 신중하게 판단하고 행동하며, 자신의 선택에 따른 결과를 깊이 성찰하며 자신의 성장을 위하여 지속적으로 노력할 수 있는 역량 |

| 포용 | 차이와 다양성을 존중하고, 입장을 바꾸어 생각하고 공감하며, 지속적으로 기꺼이 나눔을 실천하는 사람으로서의 가치 | 존중 | 서로 다른 배경 및 개인의 차이와 다양성을 인정·공감하며, '내가 속한 공동체'와 '나' 위주의 자기 중심성을 넘어 동등한 관계 위에서 판단하고 행동할 수 있는 역량 |
| | | 나눔 | 존중하고 공감하는 심리·정서적 역량을 바탕으로 자발적이고 지속적으로 남을 돕는 일에 의미와 책임감을 가지고 실천할 수 있는 역량 |
| 공존 | 공동체의 구성원으로서 연대하고, 모든 생명이 존중되며 평화로운 더 큰 공동체를 지향하는, 지속 가능한 세상의 핵심 가치 | 연대 | 공동체에 대한 소속감을 가지고 보다 건강한 공동체가 될 수 있도록 문제 해결을 위하여 함께 노력할 수 있는 역량 |
| | | 평화 | 내가 소속된 공동체 구성원의 어울림을 지향하며, 모든 생명과 다른 공동체를 향한 우호적 태도를 바탕으로 더 큰 공동체로의 확장에 기여할 수 있는 역량 |

## ② 필요성

(1) 전쟁, 기후위기, 생물 다양성 감소 등 범지구적인 문제를 해결하기 위하여 국가와 인종, 생명·비생명의 구분을 넘는 세계 보편의 인성 가치·덕목의 내면화 필요

(2) 디지털 기술의 발전에 따라 하나되는 세계 속에서 상대방을 존중하고 배려할 수 있는 인성교육 요구

(3) 교권 침해, 학교 폭력, 악성 민원 등 개인의 이익과 권리를 우선시하고 책임과 의무를 경시하는 풍조

(4) 공동체가 추구하는 목표와 개인이 추구하는 목표 사이의 갈등을 지혜롭게 해결할 수 있는 공동체 지향의 인성교육 필요성 증가

## ③ 교육 방안

(1) '존엄'한 학생을 기르는 인성교육

① 학교 교육과정 내 인성교육
  • 교육과정 연계 인성교육

| 초등학교 | 1~2학년 | '꿈잼교실'과 연계한 통합적 감각활동, 협력적 놀이학습 운영 |
| | 3~6학년 | '우리가 꿈꾸는 교실'과 연계한 프로젝트 수업, 토의·토론 수업, 인성 중심 창의·공감 교육과정 |
| | 전 학년 | 프로젝트 기반 실천 중심 인성교육 운영으로 확대 |

| 중학교 | - 인성 중심 수업을 위한 교육과정 연계 문화·예술(뮤지컬, 연극, 영화)교육<br>- 국제공동수업 등을 통한 세계와 소통하는 인성교육<br>- 서울형 독서 기반 프로젝트 수업으로 학생의 주체적 역량, 창의·지성 역량, 심미적 감성 역량, 공동체 역량 함양 |
|---|---|
| 고등학교 | - 학생의 전인적 성장을 위한 문·예·체 교육<br>- '서울형 심층 쟁점 독서·토론 프로그램'으로 학생의 주체적 역량, 창의·지성 역량, 심미적 감성 역량, 공동체 역량 함양 |

- 범교과교육과 연계 : 학교예술교육, 학교체육교육, 독서·인문교육, 학교폭력 예방교육 등

② 가정과 함께하는 인성교육
- 식사 예절, 올바른 대화법 등 가족으로부터 학습하는 가정교육 기능 강화
- 건강한 부모-자녀 관계 형성 지원
  - 예 양육자 온라인 집단상담, 학부모 마음 치유 프로그램, 단계적 부모-자녀 관계맺음 프로그램 운영
- 학부모ON누리(www.parents.go.kr)를 활용한 온라인 학부모 인성교육 활성화
- 가족 참여 행사 및 가족 친화 프로그램 운영
  - 예 '주 1회 가족과 함께 식사하는 날', '주 1회 가족회의' 캠페인 등

(2) 서로 '포용'하는 공동체를 만드는 인성교육
① 따뜻한 학교 공동체 문화 조성
- 교사와 학생이 함께하는 존중하는 공동체활동(놀이·스포츠·예술활동 등)
- 학생 간 존중하는 공동체 문화활동
  - 예 친구사랑 주간, 상호 존중의 언어 사용 캠페인, 사이버폭력 예방 주간, 다문화 이해 및 체험 주간, 칭찬 릴레이, 사연 응모함을 통한 교내 소통 방송

② 지역과 함께하는 인성 문화 확산
- 지역과 함께하는 마을 사랑 프로그램(미래교육지구)
- 지역 문제 해결을 위한 프로젝트·토론 수업 운영
- 인근 학교와 함께하는 공동체활동(지역연계학교)

(3) 평화롭게 '공존'하는 세상을 만드는 인성교육
① '한국계 지구인*'을 양성하는 세계시민 인성교육
  *한국계 지구인 : 빈곤, 기후위기, 질병 등 세계가 함께 직면한 문제에 관심을 가지고 이를 해결하기 위해 노력하는 한국인 및 한국 거주 외국인
- 평화교육, 세계시민교육, 다문화교육, 세계시민의식 함양을 위한 국제공동수업

② 미래를 살아가는 시민성교육
- 디지털 리터러시 교육, 서울형 인공지능 윤리교육, 인공지능 리터러시 교육 등
- 생태시민교육

# 06 서울미래교육지구(마을교육공동체)

#지역연계 교육과정 #지요일 #다가치학교 #교육후견인 #협력 #미래 #소통 #다양성 #공존

**Intro**

"한 아이를 키우기 위해 온 마을이 필요하다"라는 말을 많이 들어보셨죠? 아마 이 파트와 가장 많은 관련이 있는 문구일 거예요. 앎과 삶이 연결되기 위해서 학교가 속해 있는 지역사회로 교육의 장을 확장하는 '마을교육공동체'를 이룹니다. 이를 서울에서는 '서울미래교육지구'라고 부릅니다. 이 파트에서는 다양한 용어들이 나오는데, 용어들을 직접적으로 물어보기보다 지문의 예시로 쓰일 수 있고, 답변으로 활용할 수 있습니다. 따라서 용어의 정의를 세세하게 외우는 것보다 서울미래교육지구의 가치와 의의 그리고 나의 교과와 연계하여 어떻게 운영할 것인지 실현 방안을 위주로 살펴보시길 추천 드립니다.

## 1 정의

어린이·청소년의 미래역량 신장을 위해 서울 25개 자치구와 교육청이 함께 추진하는 지역연계 교육협력사업(https://newseouledu.or.kr/)

## 2 핵심 가치

| 협력 | 미래 | 소통 | 다양성 |
|---|---|---|---|
| 어린이·청소년이 미래를 살아갈 힘을 기를 수 있도록 학교-지역사회가 협력 | 빠르게 변화하는 미래사회에 대응하여 좋은 삶(well-being)을 영위하도록 미래역량 함양 지원 | 일상의 문제를 다양한 구성원의 소통을 통하여 적극적으로 해결하는 협력적 거버넌스 운영 | 지역의 특성을 반영한 다양한 자치구 중심 지역 특화사업 추진 |

## 3 중점 과제

 **Comment**

중점과제 4가지 중 (1) 지역연계 교육과정 운영 (2) 지역연계 학생맞춤 통합지원을 중점적으로 보시길 추천 드립니다. 교사의 역할을 학생의 인지적 성장과 정서적 성장으로 볼 때 지역연계 교육과정 운영은 인지적 성장과 관련 있고, 지역연계 학생맞춤 통합지원은 정서적 성장 및 보호와 관련 있습니다.

## (1) 지역연계 교육과정 운영

① **정의**: 학생들의 배움의 범위를 교실에서 학교, 가정, 지역사회로 확대하여 현재와 미래 학생에게 요구되는 지식과 역량을 키우도록 운영하는 교육과정

② **지역사회와 함께 만들어가는 교육과정 운영**
- **목적**: 지역 교육자원과 함께 다양한 교육과정을 구성하여 학교 안팎으로 배움의 공간 확대
- ✽ **지역연계 교육과정 운영 구조**

| 지역 전문가 협업 | 학교 교육과정 풍부화 | 지역자원 연계 |
|---|---|---|
| − 전문적 역량을 갖춘 분야(생태전환, 과학, 체육, 문화예술, 경영 등)의 전문가와 함께하는 프로젝트 수업<br>− 지역사회 내 학습자원 및 인력풀 데이터를 구축하여 고교학점제 등을 위한 지역인재 활용 등 | − 배움의 공간을 확장하여 학교 교육자원으로 활용<br>− 지역소재 교육자원 방문을 통한 체험 및 교육 공간 확대<br>− 지역 교육전문가와 학교 협력 | − 문화적·역사적 배경, 지역 특화 산업 등 지역 특성을 반영한 학교 교육과정 운영<br>− 지역대학, 청소년문화센터, 진로직업체험센터, 직업훈련시설 등 지역사회 내 학습자원 활용 |

③ **지역연계 교육과정 체계화**
- **학교단위**: 지역연계 교육과정 지원사업(일반·중점·혁신학교)
- **학년단위**: 지역연계 학습일(지요일) − 지역연계 교육 및 학습의 장을 서울시로 확장하여 학생의 삶과 연계한 실천 중심의 협력적 프로젝트 학습 운영(학기 단위 17시간 운영 권장)
- **학급단위**: 지역연계 교육과정 실천교실 − 학생의 미래역량 신장을 위하여 학급단위 지역연계 교사 교육과정을 운영하는 교실(프로젝트 학습 등 학생 주도 학습방법 활용)
- **학교−지역연계 집중 학년**: (초3) 사회과 지역 교재 연계활동, (중1) 자유학기(년)제 지원, (고) 고교학점제 연계 운영

④ **지역 대 초·중·고 학교 간 연계 교육과정 운영**: 지역연계 학습일 연계

## (2) 지역연계 학생맞춤 통합지원(자치, 교육복지)

① **학생 자치 측면**
- 청소년의 실제적 활동 및 수요를 바탕으로 다양한 방과후활동 프로그램 제공
- 청소년 자치 배움터 '다가치학교*' 운영
  * 다가치학교: 지역의 청소년들이 방과후에 다양한 프로젝트 활동을 할 수 있는 청소년 자치 배움터
- 청소년 활동공간 발굴: 청소년 문화의 집, 작은 도서관, 청소년 센터 등
- 지역연계 학교자율 특화사업 운영: 정규 교육과정 이외의 시간을 활용하여 학교와 지역 특색이 반영된 학교 특화 프로그램 ⑩ 코딩수업 운영, 예술동아리 활동, 지역대학생 연계 학습멘토링, 교통안전봉사 등

② 교육복지 측면

- 교육 후견인제 운영 : 멘토·코칭·지지자로서 학습·정서·돌봄활동 및 사회적 보호자 역할
- 지역인프라 활용 성장단계별 맞춤형 통합교육돌봄 협력체제 구축 및 지원 : 학교, 주민자치센터, 지역교육전문가(지역아동센터·지역교육복지센터 등)와 학교단위 협의체를 운영하여 후견기관 및 후견대상 발굴과 맞춤 통합지원 실행

  예 주민자치센터 : 교육비, 교육급여 등 신청 / 지역아동센터 : 돌봄과 학습지원 등

(3) **자치구 특화사업 운영**

① 영역별 특화사업 : 과학교육, 독서교육, 디지털·인공지능교육 등

② 대상별 특화사업 : 초등돌봄·방과후, 지역대학 연계 고교학점제 등

③ 2022 개정 교육과정 주요 내용을 반영한 지역 특화사업 : 기초·기본학력교육, 기후위기·생태전환교육, 디지털·인공지능(AI) 활용 교육, 학생맞춤형 진로교육, 독서·문학·예술·인문학교육 등

(4) **행정지원체계**

지역 연계 교육플랫폼(서울미래교육지구 포럼, 주체별 협의체 등)

## 4 장점 및 기대효과

(1) **학생 측면**

자신이 생활하는 공간에서 배움이 가능하기 때문에 앎과 삶이 통합된 배움 실현, 학교 이외의 다양한 공간에서 일어나는 배움은 다양한 경험을 가능하게 함

(2) **지역 측면**

지역자원의 활성화(지역 내 기관·시설 등 이용, 인적 자원 이용), 지역주민 평생학습 체제 구축

합격 시그널

# 더 세계적인 미래교육

# 01 AI · 디지털 교육

#디벗 #AI 디지털 교과서 #마중물학교 #AI · 디지털 리터러시
24 초등 · 중등 구상, 23 중등 교과 구상, 21 중등 교과 구상, 21 중등 교과 추가, 21 사서 구상, 21 초등 구상

**Intro**

인공지능(AI) 관련 산업이 발전하면서, 우리 교육 현장에도 AI · 디지털 교육이 점차 도입되고 있습니다. 이를 활용하면 학생은 미래 사회에 대비할 수 있고, 맞춤형 교육을 통해 교육 격차를 해소할 수 있고, 여러 가지 수업 혁신도 가능하답니다. 따라서 이번 단원에서는 AI · 디지털 교육 방안에 대해 살펴보겠습니다.

AI · 디지털 교육을 원활히 운영하려면 디지털 교육 환경이 구축되어야겠죠. 이를 위해 서울시교육청에서는 디벗 기기, 전자칠판 보급 등의 사업을 하고 있습니다. 또한 교육을 실시하는 교사들이 AI와 디지털 교육에 대해 전문성이 있어야 제대로 된 AI · 디지털 교육이 가능하므로, 교육청에서는 연수를 제공하거나 각종 교사단 및 선도학교 운영을 통해 정보 및 사례들을 공유하기도 합니다.

마지막으로 학생들이 AI와 디지털 기기와 데이터를 접하면서 윤리적인 문제가 생길 수도 있습니다. 그래서 디지털 리터러시 교육이 필요하므로 이와 관련된 개념도 이번 단원에서 살펴보겠습니다. 이 단원은 모든 개념을 암기하기보다 학교 현장에서 어떤 것을 활용할 수 있을지 생각해보며 학습하시기 바랍니다.

## 1 인공지능(AI) · 디지털 교육

### (1) AI · 디지털 교육

교육에 AI 기술 및 디지털 에듀테크를 도입하여 교육 내용, 교육 방법, 교육 체제의 변화를 모색함으로써, 현재 진행 중인 고도의 기술 발달로 인한 불확실성의 사회에 능동적으로 대처해가는 역량 있는 인재를 길러내는 교육

### (2) 필요성

① 디지털 대전환 시대에 맞는 맞춤 교육을 위한 학교 현장의 AI 디지털교과서 활용 기반 구축, 디지털 기반 수업 혁신 역량을 갖춘 교원 양성, 디지털 인프라 구축 필요

② 최신 기술과 디지털 사회 이슈(인공지능 윤리 등)를 신속하게 반영하여 학교 교육을 보완하고, 디지털 격차 해소 및 사교육 부담 경감을 위한 교육 기회 제공

③ 학생 개별 맞춤형 교육으로 모든 학생이 자신의 삶과 성장을 주도할 수 있는 교육 환경 조성 필요

## ② AI · 디지털 교육 활성화

### (1) AI 교육과정 운영

① 2022 개정 교육과정 적용으로 정보교과 시수 확대 편성

② 1개 이상의 방과후학교 및 자율동아리 등 운영

③ 온라인 코딩파티 및 AI · 디지털 교육 페스티벌, 컨퍼런스, AI 교육 관련 컨설팅

### (2) 수업 시 디지털 학습 도구 및 사이트 활용

| | |
|---|---|
| 디벗 | • 'Digital＋벗'의 줄임말로, '스마트기기는 나의 디지털 학습 친구'라는 의미를 내포하고 있음<br>• 학습용 스마트기기(크롬북, 아이패드, 갤럭시탭 등)를 1대씩 지원함으로써 디지털 교수 학습 환경을 조성하고 서울교육의 디지털 전환을 도모함<br>예 학습지 배포 및 작성 후 제출에 이용, 증강 현실, 메타 버스를 활용한 프로젝트 수업, 협업 프로그램을 이용한 공동 작업, 디지털 교과서 활용, 노트 필기, 센서와 관련한 실험 수업, 온라인 플랫폼을 이용한 자기주도학습, 동아리 활용 등 |
| AI 디지털 교과서 | • 기존의 디지털 교과서가 포함하고 있는 멀티미디어, 실감형 콘텐츠에 더하여 AI에 의한 학습 진단 분석, 개인별 학습 설계된 수준과 속도를 반영한 맞춤형 학습, 학생의 관점에서 학습 코스웨어 등을 포함하고 있는 교과서<br>• 2025학년도부터 일부 과목을 시작으로 점차 확대되어 전면 사용될 계획임 |
| 공공학습 관리시스템(LMS) | 온라인 수업을 위해 구축되었으며, 온라인으로 학생들의 성적과 진도 · 출석 등을 관리해 주는 학습관리시스템(Learning Management System) 예 e학습터, 온라인클래스, 뉴쌤 |
| 온라인 학습 사이트 | 판서(아이캔노트), 공유 및 피드백(패들렛 · 구글 잼보드), 실시간 의견 수합(구글 설문지 · 네이버폼 · 페어덱 · 멘티미터 등), 학습지(라이브 워크시트 · 띵커벨), 협업(구글 문서 · 프레젠테이션), 퀴즈(띵커벨 · 카훗 · 퀴즈앤), 제작(미리캔버스 · 플립 그리드), 생성형 인공지능 서비스 등 |
| 온라인 SW 교육 플랫폼 | 서울시교육청에서 문제해결 코딩, 창작 코딩, 강좌 듣기, 커뮤니티를 통한 수업 자료 공유 등의 기회를 제공하는 사이트 |
| 디지털 새싹 | • 학생을 대상으로 SW, AI 교육 프로그램을 직접 체험할 수 있는 기회를 마련하여 디지털에 대한 흥미를 유발하고 관련 역량을 함양하는 프로그램<br>• 교과 및 창체와 연계하여 프로젝트 중심 문제해결형 프로그램으로 구성되어 있으며, 학교로 방문해 학생들이 직접 체험하도록 함 |
| 기타 | 전자칠판, 홈베이스 등 |

### (3) 맞춤교육 지원 AI튜터 '마중물학교'

① 기초학력학습대상학생, 다문화학생, 탈북학생, 특수학생 등 학습부진 요인별 유형에 맞는 수업전략 및 콘텐츠를 제공하여 학생의 자기주도적 학습 역량을 함양하고 개별 맞춤형 교육이 가능하도록 하는 프로그램을 운영

② AI 서비스를 활용하여 난독 · 난산 · 경계선 지능 학생, 학습지원 대상 학생의 기초학력 보장 및 교육 격차 해소 지원

## ③ AI · 디지털 리터러시 교육

### (1) 인공지능 리터러시

인공지능 기술의 원리와 한계를 알고, 인공지능이 사회에 미치는 영향을 비판적으로 이해하고, 인공지능과 효과적으로 소통·협업하는 역량

### (2) 디지털 리터러시

디지털 사회 구성원으로서 자주적인 삶을 살아가기 위해 필요한 기본 소양으로, 윤리적 태도를 가지고 디지털 기술을 이해 및 활용하여 정보의 탐색 및 관리·창작을 통해 문제를 해결하는 실천적 역량

### (3) 서울형 인공지능 윤리교육

서울미래교육의 가치인 존엄(시민성), 포용(다양성), 공존(지속가능성)과 인공지능 윤리의 3대 원칙인 인간의 존엄성, 인공지능 사회의 공공선, 공존을 위한 기술 합목적성과의 융합을 통해 학생들이 성숙한 디지털 시민으로 성장할 수 있도록 지원
- 서울학생 AI 리터러시 진단검사 현장 적용
- 정보의 올바른 활용(팩트체크 등)을 위한 디지털 리터러시 교육자료 개발
- 교원 디지털·미디어 리터러시 전문성 강화 연수

### (4) 디지털 리터러시 교육자료 보급 및 교원 연수

### (5) 과의존 예방교육

정보통신윤리, 디지털 리터러시, 미디어 리터러시 교육을 모두 포함하며 디지털 기기, 인터넷 사용 등에 있어 이용 습관을 진단조사하고 올바른 사용법을 익히도록 함

## ④ 교원 역량 강화

### (1) 선도학교 참여를 통한 연구

예 디지털 기반 교육혁신 선도학교, 연구학교, 서울 미래학교, 마중물학교, AI·정보교육 중심 학교, 인공지능(AI)–사물인터넷(IoT) 시범학교, 신나는 AI 교실 등

① 디지털 기반 교육혁신 선도학교 : 2025년 3월 AI 디지털교과서 적용 전, 이미 개발되어 있는 AI 코스웨어 및 에듀테크를 활용한 교수·학습법 적용을 통해 수업 혁신을 선도하고, 교사의 역할에 대한 모델을 창출하여 이를 다른 학교로 확산시키는 학교. AI 코스웨어 및 에듀테크를 활용하여 수업 혁신을 선도하고, 교사의 역할 변화에 대해 연구하여 다른 학교로 확산할 수 있도록 함

② AI 교육과정 운영 중심학교 : 정보 교과 시수 확대, 방과후 학교 프로그램, 동아리, 고교학점제 공동 교육과정 운영 등 다양한 교육과정을 운영하여 교육 사례를 공유함

### (2) AI · 디지털 활용 역량 향상을 위한 연수 확대, 교원학습공동체 운영

(3) 교원의 자발적 역량 제고 및 체계적 연수 이력 관리를 위한 '디지털 배지' 사업 참여

(4) AI · 에듀테크 선도교사, T.O.U.C.H. 교사*, 수업평가나눔 교사 등 다양한 분야의 선도 교원으로서 AI · 디지털에 기반하여 교육과정-수업-평가-기록의 전반적 교육 혁신

> \* T.O.U.C.H(터치, Teachers whO Upgrade Class with High-tech) 교사단 : 교육 디지털 대전환과 학교의 변화 방향을 이해
> 하고, 디지털 기술을 기반으로 인간적 지도를 통해 수업을 혁신하는 교사 그룹

(5) **에듀테크 생태계 조성 및 소프트랩 운영**

① **정의** : 에듀테크의 공교육 적합성과 효과성을 점검 및 평가하고 에듀테크 활용을 촉진해 공교육 디지털 전환을 지원하는 전문 기관으로서, 서울 교육 현안 해결을 위해 학교 현장과 에듀테크 기업이 서로 만나 협력하고 학교 현장에서 필요로 하는 에듀테크를 발굴 · 개발 · 확산하기 위한 활동과 공간

② **방법** : 에듀테크 기반 학생 개별 맞춤형 수업을 위한 교원 역량 강화를 위해 에듀테크 생태계를 조성하여 에듀테크 활용 연수, 아이디어 워크숍, 사례 공유 등 정보 교류, 활용 역량 지원

## 5 교육 효과

(1) **학생**

① 단순히 지식을 전달받는 것을 넘어, 지식을 주도적으로 이용하고 프로젝트 · 협력 활동 · 토론 등을 통해 타 학생들과 함께 수업을 만들어가는 능동적 학습자로 성장

② 자신이 가지고 있는 목표와 역량, 학습 속도에 따라 서로 다른 학습 경로를 구축하고, 희망할 때 손쉽게 보충 · 심화학습 가능

(2) **교사**

① AI 기술을 활용한 학습 분석을 통해 학생 개인의 특성에 맞는 수업을 진행하고, 학생들의 역량을 최대한 이끌어내는 역할 수행

② 학생 개인의 학습 성과를 최대화할 수 있는 학습 설계와 함께 사회 · 정서적 변화를 관찰 · 진단하여 안정적인 상담 · 멘토링 제공

(3) **수업**

① 지식의 습득보다는 이를 활용할 수 있는 역량을 키우는 것에 초점을 두고, 프로젝트 학습 · 팀 학습 · 자유 토론 등 학생 간 상호 작용과 적극적인 참여를 촉진하는 수업으로 전환

② 모든 학생이 자신의 학습목표 · 학습역량 · 학습속도에 맞는 맞춤 교육을 받고, 교사와 학생이 인간적으로 연결되는 체제 구현

③ 다양한 수업 활동을 통해 자기 표현, 상호 존중과 협력 등 사회적 · 정서적 역량을 체득

# 02 공간 재구조화

#공간 혁신 #미래지향적 학교 공간 #틈새 공간 #꿈을 담은 교실 #그린 #스마트 #공간 개선 #복합화 #안전
23 중등 즉답형 추가

**Intro** 2023년까지 교육부에서는 '그린스마트스쿨'이라는 이름으로 공간 혁신 정책을 추진해왔으나, 2024년 부터는 추진 중인 그린스마트스쿨 사업은 시·도교육청 주도 계속사업으로 전환하여 시행하고, 교육부 사업명은 '공간 재구조화'로 바꾸었어요. 그래도 사용자 중심으로 공간 혁신을 이루어낸다는 특성은 변함없이 유지되고 있어요. 기존의 학교 공간을 학생의 꿈과 미래를 담는, 학생성장 중심의 학교 공간으로 재구조화하는 방안을 생각해보세요.

## 1 필요성 및 효과

### (1) 필요성

30~40년 이상 경과된 노후학교가 증가했으며, 획일화된 교육 공간에서는 새로운 교수학습이나 미래 교육과정에 능동적으로 대처하기에 한계가 있으므로 미래환경 변화에 대비하는 미래지향적 학교 공간을 조성해야 함

### (2) 효과

① 교내 생태환경 조성을 통해 지속가능한 미래에 기여

② 다양하고 유연한 공간의 조성을 통해 학생 중심의 창의적 융·복합교육 등 미래 혁신교육이 가능해져 학교 교육력 향상

③ 학교 공간을 지역사회에 개방하고 공유함으로써 지역사회의 문화 형성 및 삶의 중심 공간으로서의 학교 역할 강화

④ 유해물질과 미세먼지로부터 안전하게 학생의 건강 보호, 쾌적한 실내환경 유지

## 2 내용

### (1) 학생·교사·학부모 등 학교 교육공동체가 함께 참여하여 학교 공간의 혁신 추진

### (2) 틈새 공간 키우기

① 학교 안의 자투리 공간, 유휴 공간 등을 예술과 휴식이 있는 공간으로 재디자인

② 학령인구 급감으로 발생하는 유휴 교실을 학습·문화·휴식이 공존하는 공간으로 재디자인

## ③ 꿈을 담은 교실

(1) **개념** : 서울시교육청의 학교 공간 재구조화 사업

(2) **추진 방향**

| 방향 | 지향점 | 내용 |
|---|---|---|
| 참여 디자인 | 같이 만드는 공간 | • 학교 구성원의 참여로 협동·소통의 또래 문화를 같이 만드는, 교육 공간 이상의 생활을 담을 수 있는 자유로운 다목적 공간 조성<br>• 학교의 주인, 배움의 주인으로서 참여하여 원하는 학교 공간에 관한 이야기를 마음껏 풀어내고 스스로 성장하는 공간 혁신 구현 |
| 공유 디자인 | 함께 누리는 공간 | • 학교의 버려진 틈새 공간을 재구조화하여 학생 쉼터, 놀이터 같은 소통 공간으로 활용<br>• 사각지대 없는 안전한 학교 경계 영역을 다시 조성하여 주변 지역과 함께 공유하는 공간 마련 |
| 포용 디자인 | 모두를 위한 공간 | • 모두를 위한 디자인(Design for All)으로 포용적 학교 공간 구현<br>• 특수교육대상자들을 배려한 유니버셜 디자인을 가미한 설계 |
| 생태 디자인 | 지속 가능한 공간 | • 녹색건축설계, 저탄소 건축자재 사용, 학교숲조성 등 학교 온실가스 배출을 감축하여 탄소 저감 공간을 구현<br>• 친자연 속에서 학습, 휴식, 소통할 수 있는 공간을 확대하여 생태감수성 힐링 공간 조성 |

## ④ 노후학교 공간 재구조화

(1) **방향**

① 40년 이상 노후시설에 대한 학교 단위의 공간 개선(개축 또는 리모델링)

② 그린, 스마트, 공간 개선, 복합화, 안전 등 5대 특화 개념을 담은 미래교육 환경 구축

(2) **5대 특화 전략**

| 전략 | 내용 |
|---|---|
| 그린 | 제로 에너지 실현(온실가스 감축), 관리 자동화, 생태교육 공간 |
| 스마트 | 디지털 학습 환경, 유비쿼터스 환경(스마트한 학교 운영·관리체계 구축) |
| 공간 개선 | 학교급별 교육과정 연계, 사용자 의견을 담아 교육생활 공간 조성 |
| 복합화 | 학생과 주민이 함께 활용하는 다양한 문화·체육·복지시설을 학교에 설치하여 교육·돌봄 연계 및 지역 균형 발전 도모, 학교 구성원 의견에 따라 결정 |
| 안전 | 유해환경으로부터 학생을 보호하고 학부모가 안심할 수 있는 학교(지상에 차 없는 학교, 자동 공조 시스템, 감염병 예방 공간 계획, 외부인 출입 동선 분리) |

▸▸ 초등학교의 경우 늘봄학교 전면 확대가 가능하도록, 공간 재구조화 시 늘봄학교 운영 공간을 개선하거나 새롭게 조성하는 것을 우선 반영하고 있어요.

S
I
G
N
A
L

# 더 건강한 안심교육

# 01 생활교육과 상담

#회복적 생활교육 #책임과 존중 #교사의 상황대처 #공감/적극적 경청 #위(Wee) 클래스
23 상담 구상, 22 상담 구상, 21 상담 구상, 20 교과 구상, 20 상담 구상, 19 교과 구상, 19 상담 구상

**Intro**

학교는 학생들의 학습만 담당하는 곳이 아니라 학생들이 올바른 인성, 사회성 등을 함양할 수 있도록 도와주는 공간입니다. 따라서 학생의 바람직한 성장을 위해서는 교사의 적절한 생활교육과 상담이 필요합니다. 이 파트에서는 다양한 생활교육 및 상담이 필요한 상황들을 어떻게 해결할 것인지에 대해 살펴보는 것이 중요합니다. 학교생활 중 일어날 수 있는 여러 상황과 그 상황에서 교사로서 어떻게 할 것인지를 생각해보세요.

## ① 생활교육

### (1) 용어 정리

① **생활지도** : 아동 및 청소년의 일상생활 활동을 직접 지도하여 바람직한 습관이나 태도를 갖게 하는 일

② **생활교육** : 학습자가 자신의 경험을 통하여 실생활에 필요한 지식과 기능을 습득하도록 하는 교육

### (2) 생활교육의 근거 :「초 · 중등교육법 시행령」 제40조의3(학생생활지도) (2023. 6. 27.)

① 학교의 장과 교원은 법 제20조의2에 따라 다음 각 호의 어느 하나에 해당하는 분야와 관련하여 조언, 상담, 주의, 훈육 · 훈계 등의 방법으로 학생을 지도할 수 있다. 이 경우 도구, 신체 등을 이용하여 학생의 신체에 고통을 가하는 방법을 사용해서는 안 된다.

1. 학업 및 진로 2. 보건 및 안전 3. 인성 및 대인관계 4. 그 밖에 학생생활과 관련되는 분야

② 교육부장관은 제1항에 따른 지도의 범위, 방식 등에 관한 기준을 정하여 고시한다.

 **Comment**

최근에는 학생의 자율성을 인정하는 관점에서 '생활교육'이라는 용어를 사용하도록 권장하고 있습니다. 교사는 생활교육에도 전문성을 가지고 있어야 하기 때문에 이와 관련한 문제가 많이 출제되고 있습니다. 생활교육이 필요한 사례들을 생각해보고 교사로서 어떤 전문성을 발휘할 수 있을지 고민해보시기 바랍니다.

## ② 회복적 생활교육

### (1) 정의

비난, 강제, 처벌, 배제의 방식(응보적 정의)이 아닌 치유, 자비, 화해의 방식으로 문제를 해결하는 회복적 정의를 학교에서 실천하는 접근방식

① **응보적 정의**: 잘못된 행동에 대해 법이나 규칙에 따라 적절한 처벌을 내림으로써 문제를 해결하는 방식

② **회복적 정의**: 갈등 관계에 대해 피해와 어려움을 확인하고 대화로서 관계를 회복하는 방식

### (2) 회복적 생활교육의 목표

① **생활지도**: 학습공동체에 일어난 분리와 손상을 다루기

② **커리큘럼**: 학습주제에서 공동의 배움과 상호지원하기

③ **학급자치운영**: 관계와 돌봄의 학습공동체 유지하기

### (3) 실천 모델

① **공동체 구성하기**: 갈등이 일어나기 전 학생 전체를 대상으로 공동체를 세우고 회복적 문화를 만들어가는 예방적 차원의 과정

| 자기공감 | 나의 상황을 인식하기 |
|---|---|
| 적극적 경청 | 타인의 이야기를 있는 그대로 듣고 되돌려주며 말하기 |
| 비폭력 대화 | 상대방을 비난하지 않고 자신의 느낌과 원하는 바를 솔직하게 말하고, 상대의 이야기를 공감하며 듣는 대화법 |
| 공동의 목적·약속 세우기 | 학급 공동의 규칙, 약속이나 서클 규칙 세우기 |
| 서클 활동 | 안전한 분위기에서 동그랗게 둘러 앉아 서로 존중하며 이야기를 나누는 대화 방법<br>•체크인-체크아웃 서클: 무언가를 시작하기 전(체크인), 무언가를 마치고서(체크아웃) 동그랗게 둘러 앉아 서로의 의견을 나누는 모임<br>•신뢰 서클: 자신이 누구인지, 중요한 것이 무엇인지, 어떠한 삶을 살아왔는지에 대해 이야기를 나누면서 서로 연결되며 평화로운 관계를 만들어가는 서클 |

② **심각하지 않은 갈등 다루기**: 특정한 사건과 제한된 학생들을 대상으로 한 문제해결을 목적으로 하며, 일상에서 소소하게 발생하는 학급 구성원 간의 갈등이나 학급의 문제를 다룸

| 회복적 질문 | 문제행동, 상처, 깨진 관계를 회복함과 동시에 그런 말과 행동을 한 사람의 원래 의도를 탐구하기 위해 던지는 열린 질문<br>⑩ 내가 책임질 일은 무엇인가?, 사실은 무엇인가?, 무엇이 앞으로 나아갈 방향일까?, 어떤 선택을 할 것인가?, 서로 도움이 되는 문제해결이 어떻게 가능할까? |
|---|---|
| 회복적 성찰문 작성 | 학생이 스스로 갈등이나 문제 행동을 회복적 관점에서 생각해보기 |
| 문제해결 서클 | •공동체에 발생한 문제 상황에 모두가 관심을 갖고 해결하는 서클로, 행동이나 사건이 학급 공동체에 미친 영향과 어려움에 대해 솔직히 이야기하고 문제의식을 공유하여 문제를 해결함<br>•심각하지 않은 가벼운 문제를 다룸 ⑩ 기물파괴, 언어폭력, 도난사건, 지각 등 |

③ 심각한 갈등 다루기 : 피해자와 가해자가 명확하고, 구체적인 피해 회복이 요구되는 문제해결 단계. 학교 공동체 전체의 안전을 위협할 수 있는 사안으로, 이 단계에서는 문제해결능력을 갖춘 조정자나 중재자의 개입이 필요함

| 회복적 서클 | 공동체 안에서 크고 작은 갈등이 발생했을 때 활용할 수 있는 갈등해결을 위한 대화방법. 갈등 당사자와 관련된 사람들이 둥글게 모여 앉아 이야기를 나눔으로써 진심을 공유하며 관계를 회복하도록 도움 |
|---|---|
| 회복적 조정모델 | 중립적인 제3자(조정자)의 도움을 받아 당사자들이 서로에게 도움이 되는 대화방식으로 자신들의 문제를 해결할 수 있도록 조정 절차를 진행함 |

## ❸ 교사 - 교사 간 생길 수 있는 어려움

(1) 업무를 떠넘기는 교사

(2) 소통하지 않는 독단적인 교과 파트너

(3) 강압적인 관리자

**해결방법**
1. 감정적으로 반응하지 않고 대화하기
2. 경청, 공감을 통해 상대의 마음을 이해하고 상황을 파악하기
3. 자신의 입장을 부드럽고 정중하게 설명하기
4. 학교 차원의 개입이 필요한 경우 관리자에게 이야기하기

## ❹ 교사 - 학부모 간 생길 수 있는 어려움

(1) 우리 아이를 특히 잘 챙겨달라는 학부모

(2) 학급 경영/수업, 평가결과 등이 적절하지 않다고 이야기하는 학부모

(3) 무관심한 학부모 : 맞벌이, 방임 등

**해결방법**
1. 적극적 경청, 공감을 통해 학부모의 마음을 이해하고 상황을 파악하기
2. 학교에서 일어나는 상황을 명료하게 전달하기
3. 학생들을 동일하게 지원하고 신경 쓴다는 것을 전달하기
4. 교사의 학급경영/수업을 믿고 지지해주기를 부탁 : 교사 또한 다방면으로 노력함을 안내
5. 평가결과에 대한 이의제기인 경우 객관적 평가 기준·근거 등 제시
6. 학생의 건강한 성장을 위해서는 가정의 지원이 가장 중요함을 안내하기
7. 교사의 지속적인 관심 및 지원 약속하기

**학부모 상담 시 TIP**

1. 학부모가 원하는 방법으로 진행

   (1) 표정이나 태도를 보여줄 수 있는 내방(대면) 상담이 가장 효과적

   (2) 어투가 느껴지는 전화 상담도 유용

   (3) 비언어적인 메시지 전달이 어려운 SNS나 문자를 이용한 상담은 오해가 생기지 않도록 내용 작성에 유의

2. 학부모의 마음을 편안하게 하기 위해 학생의 장점 및 긍정적인 부분을 먼저 이야기

   * 샌드위치 피드백 : 핵심적으로 전달해야 할 피드백을 직접적으로 전달하지 않고, 칭찬으로 시작하고 칭찬으로 끝내며 이야기함. 샌드위치처럼 빵과 빵 사이에 내용물을 집어넣음

3. 학생에 대해 부정적인 평가("떠든다", "산만하다" 등)가 반영된 표현의 사용은 피하기

4. 학부모의 고충과 개인적인 이야기가 길어질 경우 공감한 후 학생의 이야기로 화제를 전환함

5. 학부모의 폭언 등 공격적인 행동이 있을 경우 대응하지 않고 관리자 등 도움 요청

---

**건강한 부모–자녀 관계 형성을 지원하는 서울시교육청의 프로그램**

양육자 온라인 집단 상담 운영, 학부모 마음치유 프로그램 운영(미술 · 연극), 단계적 부모–자녀 관계맺음 프로그램 운영

05

## ⑤ 학생–교사 간 생길 수 있는 어려움

(1) 수업/학급 활동에 잘 참여하지 않는 학생

(2) 수업 시간에 잠을 자는 학생

(3) 교사의 지도에 불응하는 학생

(4) 학칙을 지키지 않는 학생

**해결방법**

1. 감정적으로 반응하지 않기
2. 학생의 감정과 상황 공감하기
3. 적극적 경청을 통해 학생을 이해하기
4. 교사의 입장을 진심을 담아 말하기
5. 학생 행동의 부정적인 면을 부드럽고 단호하게 설명하기(존재에 대한 것이 아닌 행동에 대한 지도)
6. 학생과 이후 행동에 대해 논의하기
7. 학생에게 필요한 지원을 제공하기

**학생 상담 시 TIP**

1. 충분한 상담시간 확보
2. 조용하고 안락한 장소 선택: 상담 진행 사실과 내용이 알려지지 않도록 방음 유무 등 확인 필요
3. 학생이 어색하거나 불편해하지 않도록 편안한 분위기 조성: 음료, 간식 등 제공
4. 학생에 대해 좋았던 모습을 이야기하면서 대화 시작
5. 신뢰 관계를 형성할 수 있도록 우선 학생의 말에 경청, 공감 후 지도 · 조언
6. 자기표현을 못하는 학생과 상담할 때는 천천히 다가가거나 친한 친구를 통해 정보를 파악해보기. 필담, SNS 등을 활용해 학생이 편안한 방식으로 대화할 수 있도록 하기

**알아두면 좋은 상담 기술**

1. 경청: 자연스럽게 학생 쪽으로 몸을 기울이고 학생과 눈맞춤
2. 공감: 어떤 비판도 하지 않고 학생을 배려, 학생이 하는 행동(또는 말)을 최대한 이해하려고 노력
3. 진솔한 대화: 대화의 주체가 '너'가 아니라 '나'가 되는 대화법
   (1) 관찰: 선생님이 _____를 보았을 때,
   (2) 느낌: 선생님이 _____라고 느껴.
   (3) 욕구: 왜냐하면 선생님은 (학생의 안전, 성장, 학교 적응 등)이 중요하기 때문이야.
   (4) 부탁: _____해줄 수 있겠니?
   예 학생이 연락도 없이 늦게 등교한 상황
      "왜 늦게 왔니?"(×),
      "선생님은 네가 아무 연락 없이 늦게 와서(관찰) 걱정했단다.(느낌)
      왜냐면 무슨 사고(안전욕구)라도 났을까봐 말이야.
      혹시 앞으로는 늦는 일이 있을 때 미리 연락을 줄 수 있겠니?(부탁)"
4. 개방형 질문: 학생이 '예', '아니오' 또는 단답형이 아닌 자신의 생각을 말할 수 있도록 유도하는 질문 형태
   예 "또 늦잠 자서 늦었니?"(×)
      "오늘 늦게 온 이유를 말해주겠니?"(○)

## 6 학생 특성별 상담 · 지원 방법

➡ 경청, 공감은 어려움을 겪는 모든 학생들에게 해당되는 내용이며, 가장 기본적일 뿐만 아니라 효과적인 방법이기도 합니다. 구체적인 지원 방법이 생각나지 않는다면 꼭 활용하세요

### (1) 우울, 무기력한 학생

다른 관점에서 볼 수 있도록 학생이 갖고 있는 긍정적인 면을 전달(인지 재구조화), 가벼운 운동이나 취미생활 등 소소한 과제를 수행할 수 있도록 안내, 위(Wee) 클래스 연계, 주변의 지지체계 인식

### (2) 산만하고 부주의한 학생

주의가 분산되지 않도록 차분하고 일관된 환경 조성, 지시는 간결하게 구조화해서 전달, 구체적이고 긍정적으로 칭찬, 돌아다닐 수 있는 대안 행동 제시(심부름 · 유인물 배부 등)

### (3) 친구와의 관계가 어려운 학생(사회성 부족, 사회불안)

원인 파악, 스스로 해볼 수 있는 일 탐색, 관계 개선은 한 번의 노력이 아닌 긴 시간이 걸릴 수 있다는 것 전달, 사회성 기술이 부족한 경우 사회적 기술에 대해 교육, 학급 내 공동체의식 증진을 위한 이벤트 진행(마니또·고민상담소 등), 불안을 줄일 수 있도록 안정화기법 사용, 비합리적 생각 바꾸어보기

### (4) 인터넷·스마트폰 과의존 학생

과의존의 근본적인 이유 파악, 자기조절을 할 수 있도록 스스로 목표 설정, 전문기관 연계(스마트쉼센터·아이윌센터 등), 가정 내 도움

### (5) 경계성 지능, 학습장애 등 인지적 어려움이 있는 학생

검사 등을 통한 정확한 진단 필요, 서울학습도움센터 연계, 적절한 수준 및 양의 과제 제시, 단계를 세분화하여 구체적·반복적으로 지도

### (6) 자해하는 학생

최초발견 교사는 자해 상처에 대해 치료를 받을 수 있도록 보건교사와 협력, 가정에 알리기, 위(Wee) 클래스 연계, 생명존중위원회* 개최, 대안행동 안내, 모방행동으로 퍼지지 않도록 주의

\* 생명존중위원회 : 학생의 자살 예방 및 지원, 생명존중문화 조성, 자살징후 조기 발견, 고위험군 학생에 대한 전문기관 연계 및 치료 시스템 구축을 위해 학교에 설치된 위원회. 반기별 1회, 사안 발생 시 수시 소집

### (7) 자살을 시도하는 학생

자살에 대해 직접적으로 물어봄, 가정에 알리기, 위(Wee) 클래스 연계, 생명존중위원회 개최, 연락망 열어놓기, 생명존중교육 실시

## 7 위(Wee) 프로젝트

### (1) 정의

학교, 교육청, 지역사회가 연계하여 학생들의 건강하고 즐거운 학교생활을 지원하는 다중의 통합지원 서비스망. 위(Wee) 클래스, 위(Wee) 센터, 위(Wee) 스쿨을 포함함

① 위(Wee) 클래스 : 단위학교의 일차적 상담을 지원하는 학교상담실로, 학교폭력 피·가해 및 부적응 등 위기학생에게 일차적 상담·치유·교육 지원

② 위(Wee) 센터 : 각 교육지원청 내의 기관으로, 지역교육청 내의 학교상담실을 지원하고 전문가의 지속적인 관리가 필요한 학생을 위한 진단-상담-치유 'one-stop 서비스' 지원

③ 위(Wee) 스쿨 : 상담을 비롯한 인성·직업교육 및 사회적응 프로그램 등을 제공하는 대안교육기관 겸 중·장기 위탁기관으로, 치유가 필요한 고위기학생을 대상으로 함(서울시에는 없음)

(2) 서울 위플(Weepl)

서울시교육청이 전국 최초로 구축한 위(Wee) 프로젝트 통합 플랫폼. '플(pl)'은 '즐기기(play)·성장 (plus)·정거장(platform)'을 뜻하며, 학생들이 편안한 마음으로 상담을 신청하고 이를 통해 성장할 수 있도록 지원하는 것을 목표로 함. 서울 위플의 캐릭터인 강아지 '위위(weewee)'는 편안하고 친근한 이미지로 학생들의 이야기를 경청할 예정임

(3) 자살예방·생명존중

① 생명존중 및 자살예방을 위한 생명존중교육 실시: 학생 6시간, 교원 4시간, 학부모 1시간 이상, 게이트키퍼교육

② 위기사안 처리(자살, 자해 등)

| 사안 발생 | 대책회의 | 위기 개입 | 종결 및 추후처리 |
|---|---|---|---|
| • 교육지원청 보고<br>• 생명존중위원회 소집<br>• 정확한 사건정보 수집 | • 생명존중위원회 개최 (지원청 담당자, 위(Wee) 센터, 유관기관 참여) | • 애도교육, PTSD검사, 심리지원, 생명존중교육 | • 4주 이내 결과보고<br>• 위기 개입(상담) 종결 후 외부기관 연계 |

(4) 네잎클로버를 찾아가는 위기지원단

① 심리정서 고위기 학생 및 보호자 상담, 교사 및 학교관리자 컨설팅, 사안발생학급 대상 생명존중교육 등 통합지원

② '찾아가는 사례관리 지원단' 운영

(5) 마음건강 위기학생 조기발견 및 지원 정책

① 조기발견: 학생 정서·행동특성검사, 마음 EASY 검사, 학교 표준화 심리검사 등 심리검사 활용

② 지원: 학생 마음건강전문가 학교방문사업, 마음건강 ONE-STOP 지원센터, 마음건강 위기학생 심리치료비 지원

③ 비대면 상담: 위(Wee) 센터 메타버스 심리상담, 다들어줄개(청소년 모바일 상담), 1388(청소년 사이버 상담센터)

# 02 학교폭력 예방

#관계가꿈 #관계회복 #어울림 프로그램 #회복적 생활교육 #학교폭력 전담기구 #화해와 공감
21 중등 교과·비교과 구상, 21 중등 상담 구상, 20 중등 상담 구상

**Intro**

학교폭력은 단골 주제입니다! 따라서 꼭 살펴보아야 하고 다양한 상황에 따른 답변을 준비하는 것이 필요합니다. 시간 흐름별로 살펴보자면 학교폭력이 일어나지 않도록 하는 예방 단계, 일어난 후의 조치 단계로 나눌 수 있습니다. 예방 단계에서는 교과 연계, 창체 시간을 활용하는 예방 교육 방안을 구상해 두길 바랍니다. 조치 단계에서 나올 수 있는 문제는 학교폭력이 발생한 구체적 상황을 주고 그 상황에서 교사의 역할을 가장 많이 물어보기 때문에 학교폭력 상황 속 교사의 역할을 중점적으로 생각해보세요. 2019년 교육부가 '학교폭력 제도 개선방안'을 발표하면서 기존 처벌 위주의 조치에서 교육적 해결로 패러다임이 바뀌었습니다. 따라서 교육적 해결과 예방에 초점을 맞추어 답변을 구상해보세요. 회복적 생활교육을 포함하면 좋습니다. 또한 서울시교육청에서는 관계가꿈 프로젝트를 내세워 관계회복적 측면의 학교폭력 예방과 처리를 유도하고 있으니 꼭 확인하시기 바랍니다.

## ① 학교폭력

### (1) 정의

학교 내·외에서 학생을 대상으로 발생하는 신체적·정신적 또는 재산적 피해를 수반하는 모든 행위

### (2) 학교폭력의 유형

신체폭력, 언어폭력, 사이버폭력, 금품갈취(공갈), 강요, 따돌림, 성폭력

 **Comment**

사소한 괴롭힘이나 장난이라고 여기는 행위도 학교폭력이 될 수 있음을 꼭 지도해야 합니다. 또한 학교폭력은 학교 내·외에서 학생을 대상으로 하는 폭력이므로 가해자가 학생이 아닌 경우에도 필요시 피해학생에 대해 보호조치를 할 수 있습니다.

## ② 학교폭력 예방

### (1) 학교폭력 감지 및 인지를 위한 학교 구성원의 역할과 책임

① 학교폭력 실태조사 : 매년 2번, 초등학교 4학년~고등학교 3학년 전수조사

② 자율적 학교폭력 예방교육((5) 학교폭력 예방교육 참고)

### (2) 교내 학교폭력 신고체계 마련

① 학교폭력 신고함, 학교 홈페이지 비밀게시판 등 다양한 신고체계 마련

② 피해·목격 학생들이 적극적으로 신고하도록 지도

③ 학생, 학부모, 교사 대상 학교폭력 신고방법 안내

### (3) 교사의 관찰 및 상담 실시

① 교우관계 지속적 파악, 학교폭력 징후를 보이는 학생이 없는지 세심하게 관찰

② 담임교사, 전문상담교사 등의 상담

③ 점심시간, 쉬는 시간, 방과후시간 등 취약시간 순회 지도

### (4) 사이좋은 관계가꿈 프로젝트

서울 학생이 다른 사람의 입장을 이해하며 자신의 생각과 감정을 긍정적으로 표현함으로써 상호 존중의 관계를 맺고(관계맺음), 공감의 대화를 통해 갈등을 해결함으로써 서로의 관계를 회복하며(관계이음), 학생참여 중심의 활동을 바탕으로 개인의 성장과 평화로운 학교공동체를 만들어가는(관계돌움) 서울특별시교육청의 학교폭력 예방교육 정책

➡ 2022 개정 교육과정의 '협력적 소통 역량', '공동체 역량'을 정책 기반으로 함

**학기 초 관계맺음 활동**
• 집단상담을 통한 긍정적 관계맺음
• 활동 중심의 학급공동체 세우기
• 신학년집중준비기간 교직원 연수 운영
• 학부모 대상 관계맺음 연수 운영

**사안 발생 시 관계이음(관계회복) 활동**
• 관계이음(관계회복) 중심의 사안 처리
• 학생 중심 또래상담 활성화
• 컨설팅지원단의 맞춤형 학교 지원
• 동영상 활용 온라인 연수 운영

관계맺음

관계이음
(관계회복)

관계돌움

**학기 중 관계돌움 활동**
• 학생 참여 중심 학교폭력 예방활동
• 활동(캠프 등) 중심의 학급공동체 다지기
• 관계돌움 교직원 연수 운영
• 유관 기관과 연계한 학교폭력 예방교육

## (5) 학교폭력 예방교육

| 대상 | 횟수 | 방법 |
|------|------|------|
| 학생 | 학기별 1회 이상 (연 2회 이상) | • 학급 단위로 실시함이 원칙<br>• 강의, 토론, 역할연기 등 다양한 방법 활용<br>• 교과 및 창의적 체험활동 교육과정을 활용하여 실시 |
| 교직원 | | • 학교폭력 관련 법령에 대한 내용, 발생 시 대응요령, 학생 대상 예방 프로그램 운영 방법 등을 포함 |
| 보호자 | | • 학교폭력 징후 판별, 발생 시 대응요령, 가정에서의 인성교육에 관한 사항 포함 |

> **교원의 생활지도 근거 법률**
> ① 학교장과 교원은 학생의 인권을 보호하고 교원의 교육활동을 위하여 필요한 경우에는 법령과 학칙으로 정하는 바에 따라 학생을 지도할 수 있다.
> ② (「초·중등교육법」 제20조의2) 위 학생생활지도의 범위에 '학교폭력 예방 및 대응, 학생 간의 갈등 조정 및 관계 개선'이 포함되므로(「교원의 학생생활지도에 관한 고시」 제7조), 학교장과 교원은 학교폭력에 적극적으로 대응하되 학교폭력에 이르지 않는 학생 간 갈등에 대하여는 그 조정 및 관계 개선에 힘써야 한다.
> ③ 학교장은 학교폭력을 인지한 경우 피해 및 가해사실 여부에 대해 확인하여야 한다.

## (6) 실시 방법

① 학교별 특색 있는 학교폭력 예방교육 계획 수립·운영: 등·하교시간을 활용한 캠페인 진행, 학생회 주관 캠페인 진행, 또래상담, 학교폭력 예방 관련 온라인 게임, 회복적 서클 등

② 단위학교 계획 수립 시 교육과정 연계 '학교폭력 예방교육' 편성·운영: 어울림 프로그램 활용 (https://www.stopbullying.re.kr/)

| 어울림 프로그램 6대 역량 | 공감, 의사소통, 감정조절, 자기존중감, 갈등해결, 학교폭력 인식 및 대처 |
|------|------|
| 사이버 어울림 프로그램 8대 역량 | 사이버 공감, 사이버 의사소통, 사이버 감정조절, 사이버 자기존중감, 사이버상의 갈등 관리 및 문제해결, 사이버 폭력 인식 및 대처, 사이버 자기조절, 인터넷 윤리의식 및 활용 |
| 예시 | • 도덕: 도덕적 상상력과 공감 연결(감정 일기 활용)<br>• 국어: 학교폭력 예방 신문 제작 등 |

③ '스쿨벨' 시스템: 신종 학교폭력(얼굴 합성 딥페이크, 온라인 그루밍 등) 관련한 내용을 학생·학부모·교사에게 신속하게 안내. 2개월에 1회 공유. 카드뉴스 및 포스터로 제작 및 보급

④ 도란도란 학교폭력 예방 홈페이지(https://doran.edunet.net)

⑤ 지역사회와 연계한 학교폭력 예방 활동: 경찰청, 보건소 협력

# ③ 학교폭력 사안 처리절차

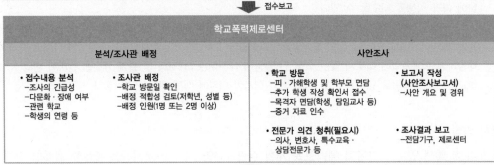

| 학교 | | |
|---|---|---|
| **사전예방(상시)** | **생활지도(상시)** | **학교폭력 접수 및 초기 사실 확인** |
| • **예방교육**<br> -관리자<br> -교직원<br> -학생<br> -학부모<br>• **예방활동**<br> -체험학습<br> -캠페인 등<br>• **실태조사**<br> -학교단위<br> -학급단위 등<br>• **상담/순찰**<br> -위(Wee)클래스<br> -교내지도<br> -교외지도 | • **갈등조정**<br> -학업 및 진로<br> -보건 및 안전<br> -인성 및 대인관계<br> -그 밖의 분야<br>• **관계개선**<br> -학급활동<br> -외부 전문가 초청 프로그램<br>• **학생지도**<br> -조언<br> -상담<br> -주의<br> -훈육<br> -훈계<br> -보상 | • **접수 / 초기대응**<br> -신고 · 접수대장 기록<br> -피해 · 가해학생 상태 확인<br> -최초 학생 작성 확인서 접수<br> -접수보고서 작성<br> -학교장 보고<br> -보호자 및 해당 학교 통보<br>• **분리/긴급조치(필요시)**<br> -피해 · 가해학생 분리<br> -피해학생 긴급조치<br> -가해학생 긴급조치<br>• **교육(지원)청 보고(사안접수보고서)**<br> -신고 개요<br> -피 · 가해학생 상태<br> -분리 및 긴급조치 여부 |

접수보고 ⬇

| 학교폭력제로센터 | |
|---|---|
| **분석/조사관 배정** | **사안조사** |
| • **접수내용 분석**<br> -조사의 긴급성<br> -다문화 · 장애 여부<br> -관련 학교<br> -학생의 연령 등<br>• **조사관 배정**<br> -학교 방문일 확인<br> -배정 적합성 검토(저학년, 성별 등)<br> -배정 인원(1명 또는 2명 이상) | • **학교 방문**<br> -피 · 가해학생 및 학부모 면담<br> -추가 학생 작성 확인서 접수<br> -목격자 면담(학생, 담임교사 등)<br> -증거 자료 인수<br>• **전문가 의견 청취(필요시)**<br> -의사, 변호사, 특수교육 · 상담전문가 등<br>• **보고서 작성**<br>(사안조사보고서)<br> -사안 개요 및 경위<br>• **조사결과 보고**<br> -전담기구, 제로센터 |

조사결과 보고 ⬇

| 학교폭력제로센터 |
|---|
| **전담기구 심의** |

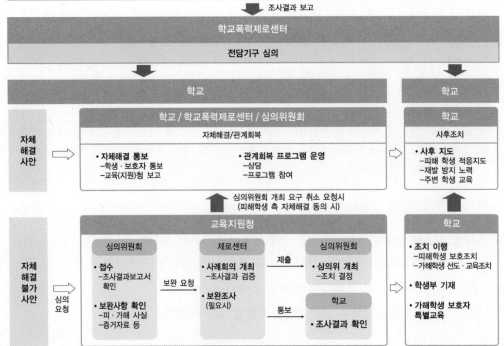

| | 학교 | | 학교 |
|---|---|---|---|
| **자체 해결 사안** | **학교 / 학교폭력제로센터 / 심의위원회**<br>자체해결/관계회복<br>• **자체해결 통보**<br> -학생 · 보호자 통보<br> -교육(지원)청 보고<br>• **관계회복 프로그램 운영**<br> -상담<br> -프로그램 참여 | ⇨ | **학교**<br>사후조치<br>• **사후 지도**<br> -피해 학생 적응지도<br> -재발 방지 노력<br> -주변 학생 교육 |

⬆ 심의위원회 개최 요구 취소 요청시
(피해학생 측 자체해결 동의 시)

| | 교육지원청 | | | 학교 |
|---|---|---|---|---|
| **자체 해결 불가 사안** | **심의위원회**<br>• **접수**<br> -조사결과보고서 확인<br>• **보완사항 확인**<br> -피 · 가해 사실<br> -증거자료 등 | **제로센터**<br>• **사례회의 개최**<br> -조사결과 검증<br>• **보완조사**<br>(필요시) | **심의위원회**<br>• **심의위 개최**<br> -조치 결정<br>**학교**<br>• **조사결과 확인** | **학교**<br>• **조치 이행**<br> -피해학생 보호조치<br> -가해학생 선도 · 교육조치<br>• **학생부 기재**<br>• **가해학생 보호자 특별교육** |

심의 요청 / 보완 요청 / 제출 / 통보

## (1) 사안 처리 시 유의사항

① 공정하고 객관적인 자세를 끝까지 견지하고 적극적인 자세로 노력

② 학생·학부모의 상황과 심정에 대한 이해와 공감을 통해 신뢰를 형성하고, 불필요한 분쟁이 추가적으로 발생하지 않도록 함

③ 사안 조사 시 관련 학생들을 분리하여 조사. 이때 사안을 축소·은폐하거나 성급하게 화해를 종용하지 않도록 함

④ 사안 조사는 가능한 수업시간 이외의 시간을 활용하고 부득이하게 수업시간에 할 경우에는 별도의 학습기회를 제공

⑤ 학교폭력대책심의위원회의 결정 전까지는 피·가해학생을 단정 짓지 말고 '관련학생'이라는 용어를 사용

⑥ 전담기구의 조사, 심의위원회 조치 결정 시 관련학생 및 보호자에 반드시 의견진술 기회를 제공

⑦ 성범죄 관련 사안을 인지한 경우 예외 없이 수사기관에 즉시 신고

⑧ 동일한 사안에 대하여 재심 성격의 심의위원회는 개최하지 않음

> **성폭력 사안 처리**
> - 성범죄 발생 사실을 알게 되었을 때 즉시 수사기관에 신고하여야 함
> - 비밀유지에 특히 유의하여 2차 피해를 방지해야 함
> - 성폭력 또한 학교폭력의 일부이기 때문에 학교폭력 사안 처리절차와 동일함

## (2) 학교폭력 전담기구

① **구성원**: 교감, 학교폭력 책임교사, 전문상담교사, 보건교사, 학부모(구성원의 1/3 이상)

② **역할**: 사안접수 및 보호자 통보, 학교폭력 사실 확인, 교육(지원)청 보고, 학교장 자체해결 부의 여부 심의, 학교장 긴급조치 여부 심의, 집행정지 결정에 따른 '가해학생과 피해학생 분리' 심의, 졸업 전 가해학생 조치사항 삭제 심의, 집중보호 또는 관찰대상학생 생활지도, 학교폭력 실태조사

➡ 과거 사안조사는 전담기구에서 진행하였으나 올해부터 학교폭력 전담조사관이 사안조사를 맡게 되었습니다. 교육지원청(학교폭력제로센터)에 요청을 하면 전담조사관이 학교로 방문하여 피해·가해 관련 학생을 대상으로 사안조사를 하게 됩니다.

## (3) 학교장 자체 해결제

① **정의**: 피해학생과 학부모가 학폭위 개최를 원치 않고 경미한 학교폭력의 경우 학교가 자체적으로 사안을 종결

② **요건**: 2주 이상의 진단서를 발급하지 않는 경우, 재산상 피해가 없거나 즉각 복구된 경우, 지속적이지 않은 경우, 보복 행위가 아닌 경우를 모두 만족해야 함

## (4) 학교폭력 제로센터

학교폭력 피·가해학생 간의 관계회복, 피해학생의 치유, 피해학생에 대한 법률자문 등 통합지원 업무를 수행하는 교육(지원)청 내 전담부서

## ④ 관계회복

### (1) 정의

두 명 이상의 관련 대상자들이 발생 상황에 대하여 이해, 소통, 대화 등을 통해 원래 상태 또는 일상생활로 돌아갈 수 있도록 함께 노력하는 것

### (2) 방법

① 사전 개별면담 : 양측 학생을 개별면담하여 각자의 욕구와 사안에 대한 해결방식, 심리·정서적 상태 등 탐색

② 관계회복 프로그램(직접대면 및 소통) : 양측 학생이 준비와 동의가 되었을 때 서로 대면하여 소통을 통해 관계를 회복하도록 조력

## ⑤ 성교육

### (1) 실행 : 학생 연 15시간

\* 성교육 집중이수제 : 학교급별 1개 학년을 대상으로 성교육 담당교사에 의한 연속적이고 체계적인 성교육이 이루어지도록 연간 계획을 수립하고 수업을 진행함으로써 성교육의 실효성과 효과성을 높이는 제도 **예** 1개 학년 학급별 5차시 이상 실시

### (2) 방법

교육과정 연계 성교육, 학교로 찾아가는 문화예술 연계 성교육·디지털 성범죄 예방교육 등

### (3) 내용

성인지 감수성 함양, 경계 존중, 성적 자기결정권, 성 고정관념, 건강한 성, 성폭력 예방 등

### (4) 성교육 시 유의사항

① 학생 개인차를 존중하고 학생의 관심과 발달 수준, 학교의 실태와 지역사회 여건 등을 고려

② 담당교사 개인의 성 가치관이 아닌 인권과 민주시민교육 관점에서 건강한 성 가치관 형성 지도

③ 강의식 지식전달 중심 교육에서 벗어나 학생들의 활동을 유도하는 다양한 지도방법을 활용하여 학생들의 참여기회 확대

④ 외부강사를 초빙하여 프로그램을 운영하는 경우와 학교 밖 지역사회 성교육 관련기관 체험학습을 운영하는 경우에도 교육내용 및 지도안을 사전 확인하며, 담당교사 임장지도 실시

⑤ 성교육 체험활동 추진 시 희망하지 않는 학생 대상으로 별도 교육 프로그램 운영

## ⑥ 성폭력 예방교육

### (1) 실행

학생 대상 연 3시간 이상, 교직원 대상 성희롱·성매매·성폭력 예방교육 연 각 1시간씩(총 3시간)

### (2) 내용

사소한 성적 장난이나 행동도 성범죄가 될 수 있다는 인식을 확립시키고, 학생 자신의 성적 권리에 대한 민감성 향상 및 공동체의 적극적 개입과 실천의 중요성 강조 **예** 성폭력 개념, 대처 방법, 디지털 성범죄 등

# 03 아동학대 예방

#신고의무자 #아동학대 예방교육 #관찰/관심 #재학대 예방

> **Intro**
> 이 파트에서는 아동학대 신고의무자인 교사의 아동학대 예방과 조기발견 및 사안처리와 관련한 내용이
> 나옵니다. 문제로 출제될 때는 아동학대 예방교육을 어떻게 진행할 것인지, 아동학대 징후를 확인하였
> 을 때 어떻게 대처하고 신고할지 등을 물어볼 것입니다.

## ❶ 개념

### (1) 정의

보호자를 포함한 성인이 아동의 건강 또는 복지를 해치거나 정상적 발달을 저해할 수 있는 신체적·정신적·성적 폭력이나 가혹행위를 하는 것과 아동의 보호자가 아동을 유기하거나 방임하는 것(「아동복지법」 제3조 제7호)

### (2) 유형

신체학대, 정서학대, 성학대, 방임, 유기

➠ 특별한 사유 없이 학교에 보내지 않거나 무단결석을 방치하는 행위 또한 방임이며, 교육적 방임에 해당합니다.

## ❷ 조기 발견 - 아동학대 징후 체크리스트

> **아동학대 징후 체크리스트(1문항 이상 '예'라고 체크된 경우 아동학대를 의심해볼 수 있는 상황임)**
> 1. 사고로 보기에는 미심쩍은 멍이나 상처가 발생한다.
> 2. 상처 및 상흔에 대한 아동 혹은 보호자의 설명이 불명확하다.
> 3. 보호자가 아동이 매를 맞고 자라야 한다는 생각을 갖고 있거나 체벌을 사용한다.
> 4. 아동이 보호자에게 언어적·정서적 위협을 당한다.
> 5. 아동이 보호자에게 감금, 억제, 기타 가학적인 행위를 당한다.
> 6. 기아, 영양실조, 적절하지 못한 영양섭취를 보인다.
> 7. 계절에 맞지 않는 옷, 청결하지 못한 외모를 보인다.
> 8. 불결한 환경이나 위험한 상태로부터 아동을 보호하지 않고 방치한다.

9. 성학대로 의심되는 성 질환이 있거나 임신 등의 신체적 흔적이 있다.

10. 나이에 맞지 않는 성적 행동 및 해박하고 조숙한 성지식을 보인다.

11. 자주 결석하거나 결석에 대한 사유가 불명확하다.

12. 아동에게 필요한 의료적 처치 혹은 예방접종을 실시하지 않는다.

13. 보호자에 대한 거부감과 두려움을 보이고, 집(보호기관)으로 돌아가는 것을 두려워한다.

14. 아동이 매우 공격적이거나 위축된 모습을 보이는 등 극단적인 행동을 한다.

## ③ 사안 처리 절차

**아동학대 최초 인지(신고의무자 등)**
아동학대 징후 발견, 학생 상담을 통한 기본적인 상황 파악

- **보고 및 신고**
  - 학교장, 교육(지원)청 보고
  - 수사기관(112), 아동학대 긴급전화, 아이지킴콜앱으로 신고
  - ※ 교사는 신고의무자로, 아동학대 범죄를 인지하거나 의심될 경우 즉시 신고하되, 학대행위자가 보호자인 경우 신고내용을 알리지 않도록 주의
- **사안 조사**
  - 피해아동이 편안한 분위기에서 상담받을 수 있도록 협조(사전에 장소·시간 등 협의 필수, 상담 장면·정보 등이 노출되지 않도록 주의)
  - 관련 자료의 제공, 담임교사 및 상담교사 등 필수 면담자 협조

**피해아동과 학대행위자 조치**
피해아동 학적처리 등(출석인정·인정점 부여, 비밀전학, 모든 과정은 철저한 비밀 유지)

**사후 관리(지속 관리)**
- 아동을 대할 때 이전과 크게 다르지 않은 태도 유지
- 아동의 심리나 재학대 여부 세심하게 관찰, 재학대 발생 시 수사기관 또는 전담 공무원에게 연락
- 피해아동 관련 변동사항 발생 시 교육(지원)청 수시 보고, 필요 시 지자체 통합사례회의 참석

## ④ 주의할 점

### (1) 신고과정

① 수사기관에 신고할 때는 아동학대 전담공무원이 동행하여 출동하도록 요청

② 증거 사진, 동영상 등 확보

③ 성학대의 경우 증거 확보를 위해 씻기거나 옷을 갈아입히지 않음

④ 수사기관과 아동학대 전담공무원의 상담이 진행되기 전에 교사가 피해아동에게 캐묻거나 유도 질문을 하면 기억에 혼동이 생길 수 있으므로 주의

⑤ 피해아동에 대한 정보가 외부에 노출되지 않도록 주의

### (2) 피해아동에 대한 교사의 태도

① 교사는 조사를 목적으로 하는 것이 아닌 피해아동의 심리적·신체적 안전 확인 및 보호를 목적으로 하는 대화 진행

② 피해아동의 상황 및 심리적·신체적 상태에 대한 이해를 바탕으로, 아동은 현재 어려움을 이겨낼 수 있는 강점과 자원이 많은 사람이라는 것을 전제하는 해결중심적 관점으로 접근

③ 학대 피해아동과 사안에 대한 민감한 내용이나 전문적인 상담은 전문기관과 연계하는 것이 바람직

## 5 예방교육

### (1) 아동 대상 교육

① 안전 관련 교육 및 학교교육과정과 연계하여 실시 가능

② 학생의 발달 수준을 고려하여 교육내용 구성 및 선정(학교안전교육 실시 기준 등에 고시: 폭력예방 및 신변보호교육)

| 초등학교 취학 전 | 초등학교 | 중학교 | 고등학교 |
|---|---|---|---|
| • 아동학대 신고 및 대처 방법 알기 | • 아동학대의 유형 및 대처 방안 알기<br>• 가정폭력의 개념과 대처 방안 알기 | • 가족과 올바른 의사소통 방법과 가정폭력 피해자 지원제도 알기(아동학대 포함) | • 가정폭력 예방 지침을 알고 보호하기(아동학대 포함) |

③ 체험교육 또는 현장학습 연계

④ 일상생활을 통한 반복 지도 및 부모교육 연계

### (2) 학부모 대상 교육

① 학부모 대상 행사 시 부모교육 실시: 입학설명회, 학교설명회 등

② 아동학대/자녀교육 관련 가정통신문 배포

③ 자녀양육 관련 교육 동영상 상영, 강의

> **긍정 양육 129 원칙**
> 1 - 기본 전제: 자녀는 존중받아야 할 독립된 인격체임
> 2 - 실천 원리: 부모 자신과 자녀에 대한 이해에서 시작, 부모와 자녀가 서로에 대한 믿음을 가져야 함
> 9 - 실천 방법: 자녀 알기, 나 돌아보기, 관점 바꾸기, 같이 성장하기, 온전히 집중하기, 경청하고 공감하기, 일관성 유지하기, 실수 인정하기, 함께 키우기

### (3) 신고의무자 교육

① 신고의무자: 학교의 장과 종사자(학교, 아동 관련 기관 등 시설에 근무하는 모든 사람)

② 교육 내용: 아동학대 예방 및 신고의무에 관한 법령, 아동학대 발견 시 신고 요령, 피해아동 보호 절차, 학생 체벌 방지, 기타 아동학대 예방 우수사례 등

# 04 안전교육

#안전능력 #위기대응능력 #안전의식 #안전감수성 #학교안전교육 7대 표준안 #자기주도적 안전교육
#체험 중심 안전교육 #안전사고
19 초등 구상, 19 중등 교과 구상, 19 중등 비교과 구상

**Intro** 학교에서는 크고 작은 안전사고가 생각보다 많이 발생해요. 또한 최근 우리 사회의 안전의식 부족, 취약한 안전관리 시스템에 의한 대형 참사가 잇따르기도 했어요. 이러한 문제를 근본적으로 해결하기 위해서는 학교 현장에서의 안전교육이 그 무엇보다도 중요해요. 안전교육을 어떻게 실시할지, 혹여나 학교 안전사고가 일어났을 시에는 어떻게 대응해야 할지 생각해보세요.

## ① 정의

일상생활과 재난 상황에서 자신의 안전을 위협하는 위험 요소가 무엇인지 알고, 안전하게 생활하는 방법을 익혀 위험을 예방하고, 위험 상황에 직면하였을 때 적절하게 대처할 수 있는 능력을 기르는 데 중점을 두는 교육

## ② 필요성

(1) 학교는 학생들이 신체적·정신적·사회적으로 건강을 유지하고 자신의 꿈을 마음껏 펼치기 위해서 가장 안전한 곳이어야 함

(2) 각종 위기 상황 발생 시 교사나 전문구조인력의 도움을 받는 경우를 제외하고, 학생 스스로 여러 형태의 위기 상황에서 위험을 예지하고 회피할 수 있는 능력인 안전능력을 배양하여야 함

## ③ 목적

(1) 학생들의 위기대응능력 강화

(2) 학생들의 안전의식과 안전감수성을 높여 안전사고 예방

(3) 안전의식 내면화를 통한 자신과 타인의 생명에 대한 존중의식 배양

④ **학교안전교육 7대 표준안(2024 개편, 7개 영역 26개 중분류)**

| 생활안전 | | 교통안전 | |
|---|---|---|---|
| 시설안전, 제품안전, 실험·실습안전, 신체활동안전, 유괴·미아사고 예방 | | 보행자안전, 자전거안전, 오토바이안전, 자동차안전, 대중교통안전 | |
| **폭력 예방 및 신변보호** | | **약물·사이버 중독 예방** | |
| 학교폭력, 성폭력, 아동학대, 자살, 가정폭력 | | 약물 중독, 사이버 중독 | |
| **재난안전** | **직업안전** | **응급처치** | |
| 화재, 사회재난, 자연재난 | 직업안전의식, 산업재해의 이해와 예방, 직업병 | 응급처치의 이해와 필요성, 심폐소생술, 상황별 응급처치 | |

⑤ **교육 방안**

**(1) 자기주도적인 학교안전교육**

① 학생의 참여에 기초하여 일상생활 속 위험요인을 자기주도적으로 발견해 개선할 수 있도록 지원

　🔲 안전동아리에서 학교 안전위해요인* 탐색 후 학교안전 개선방안 논의

　* 학교 안전위해요인: 교통, 재난, 식품, 범죄, 환경 등 학교 안팎 및 통학로 주변의 안전위험요인

② 학생 스스로 문제를 해결하는 프로젝트형 안전교육 실시

　🔲 재난유형 선정 후 직접 대피지도·시나리오를 작성하여 재난대비 안전훈련 시행

③ 생활 속 사소한 것부터 참여·실천하는 '1일 1안전수칙' 지키기 캠페인 실시

　🔲 핸드폰 보면서 걷지 않기, 운동 전 스트레칭하기 등

④ 교육과정 재구성 및 학교 내 안전체험 공간을 통한 주제 중심의 통합안전교육 실시

**(2) 체험 중심의 안전교육 강화**

① 물리적 제약 없이 안전체험교육을 지원하는 VR, AR 등 첨단기술 기반의 온라인 안전교육 운영

② 메타버스 기술 기반의 학교, 가정, 통학로 등 실생활과 흡사한 가상세계에서의 안전체험교육 제공

③ 행정안전부, 소방청, 지자체 등 유관기관 안전체험관 연계를 통한 안전체험교육 실시

**(3) 지속가능한 안전교육 생태계 조성**

① 학교안전사고 발생 시간·장소·수업별 맞춤형 안전사고 예방교육 실시

② 학업중단, 한부모, 다문화, 장애 등 취약계층의 학생을 대상으로 한 안전교육 지원을 통하여 안전사각지대 해소 🔲 안전교육자료 번역, 영상 콘텐츠 제작·활용, 장애학생 대피경로 안내 등

## 6 학교안전사고

교육활동 중에 발생한 사고로서 학생, 교직원, 교육활동 참여자에게 신체적 피해를 주는 사고나 질병

### (1) 교육활동

교육과정 또는 학교장이 정하는 교육계획이나 방침에 의한 학교 내·외부활동

### (2) 사고

교육과정 또는 학교장의 계획·관리·감독에 따라 행해지는 수업·특별활동 등의 활동과 통상적인 등·하굣길에 일어나는 사고(학교 시설물 관련 사고, 교육활동 관련 사고)

### (3) 질병

학교 급식이나 가스에 의한 중독, 일사병, 이물질의 섭취·접촉에 의한 질병, 외부 충격 및 부상이 직접적인 원인이 되어 발생하는 질병 포함

## 7 학교안전사고 발생 시 조치 및 대응 방법

| 상황파악·전파 | • 피해자의 전반적인 모습·행동과 주변 환경, 추가 위험 여부 파악<br>• 상태 파악 시 교내 응급처치 여부 및 응급환자 여부 파악<br>• 생명 위급상황일 시 최초 발견자가 즉시 119 신고 |
|---|---|
| 응급조치 | • 상황별 응급처치 시행 및 필요 시 병원 이송<br>• 병원 이송 시 교육시설의장, 학부모에게 간략하고 정확하게 주요 정보 전달 |
| 상황정리 | • 교내 응급처치 시 보건교사 또는 상황별 응급처치를 실시한 교직원은 응급처치 결과를 보건일지에 작성(날짜, 시간, 장소, 사고현황, 피해학생 상태, 처치 내용 등 구체적으로 작성)<br>• 병원 치료 시 학부모가 병원에 도착하면 치료경과 안내 후 피해학생 인계(인계 전까지 피해학생 보호자 역할 대행)<br>• 담당 의사가 피해학생 스스로 귀가가 가능한 것으로 판단한 경우 피해학생에게 주의사항 안내 후 귀가 조치(학부모 동의 시) |
| 보고조치 | • 병원 치료를 받았을 경우 공제회 신고 및 공제급여 신청 여부 판단<br>• 사망 또는 장해(후유장애)가 예상되는 부상과 3주 이상 입원을 요하는 중상 이상의 사고가 발생한 경우 교육부 및 시·도 교육청에 상황 보고 |

## ⑧ 학교안전사고보상공제

### (1) 정의

학교안전사고로 인하여 생명·신체에 피해를 입은 학생·교직원 및 교육활동참여자에게 그 피해의 정도에 따라 요양급여, 장해급여 및 유족급여 등의 보상을 하는 제도
「『학교안전사고 예방 및 보상에 관한 법률』(이하 '학교안전법') 제11조」
➡ 용어가 어려워 보이지만, 쉽게 말해 교육 활동 중 다친 학생들에게 병원비 등을 지원하는 제도예요.

### (2) 서울특별시학교안전공제회

학교안전사고에 대한 예방과 보상공제사업을 수행하기 위하여 학교안전법에 따라 서울시교육청이 설립한 특수법인

### (3) 절차

교육활동 중 학교안전사고 발생 → 학교안전사고 조사(학교) → 사고발생통지서 작성 후 통보(학교) → 심사 및 접수(공제회)

05

# 05 학교보건

#학교응급관리체계 #보건교육
24 보건 구상, 23 보건 구상, 22 보건 구상, 21 보건 구상, 20 보건 구상

> **Intro**
> 이 파트는 보건선생님들이 주로 확인하셔야 되는 부분입니다. 그럼에도 불구하고 담임교사 등 다른 선생님 또한 학생들의 건강 문제에 관심을 가져야 하고, 응급 사건이 일어났을 때 대처도 해야 하기 때문에 보건실의 업무 전반과 응급관리체계에 대해 파악하고 있어야 합니다.

## ① 보건실 운영

(1) 학교보건 운영계획, 월간 관리계획, 방문학생 관리, 방문학생 상담 및 교육

(2) 약품 및 소모품 관리, 기록물 관리 : 학생건강기록부, 보건일지

(3) 과대학교 대상 학교보건지원강사 운영, 보건교사 2인 배치 운영 모델

## ② 학생건강검사 및 요보호학생 관리

### (1) 학생건강검사
건강조사(병력, 식생활 및 건강생활 행태, 정신건강상태검사 등), 건강검진(척추, 눈·귀, 콧병·목병·피부병, 구강, 병리검사 등), 신체발달상황검사(키, 몸무게), 별도검사(시력, 소변, 결핵)

### (2) 요보호학생 관리
학기 초 학생건강실태조사를 통해 건강 문제가 있는 학생 파악(개인정보 보호·관리 철저)

### (3) 서울학생 건강 더하기 중 건강진단 관리 더하기
① 생활습관질환 진단·검사 지원 : 건강검진, 신체발달상황 측정 결과 비만 학생 및 척추측만증 등의 생활습관질환의심학생 대상 추가 검진비 지원
② 희망 학생 대상 진단·검사비 지원 : 의료 사각지대 의료비 지원
   ⓔ 당뇨학생 응급대처 지원 및 투약 공간 제공, 희귀난치질환 및 미등록 이주 학생 의료비 지원

### ③ 학교 감염병 예방·관리

(1) 감염병 예방, 감염병 발생 시 즉각 대응(감염병 관리대책반), 등교 중지 철저 운영

(2) 학교 내 결핵 예방 관리, 결핵 환자 관리, 학교 교직원 결핵(잠복결핵) 검진·관리

### ④ 약물 오·남용 예방

(1) **함께 만들어가는 담배 없는 서울학교**

자율적 흡연예방교육, 교직원의 솔선수범, 간접흡연 피해 방지, 금연 홍보 캠페인 등

(2) **마약, 흡연, 음주, 약물 오·남용 예방교육**

모든 학생 대상 의무적 교육, 사이버 및 약물 오·남용 예방교육 10시간 중 마약류를 포함한 약물 오·남용 예방교육 시간 구분(유·초: 5시간, 중: 6시간, 고: 7시간/24 신규)

### ⑤ 학생 시력·구강 관리

(1) **학생 시력 관리**

학생시력저하 예방교육(올바른 독서법, 스마트폰·컴퓨터·TV 시청지도 등), 교실 내 적정 조도 관리, 건강검사 결과 시력 교정대상·교정학생 시력 관리, 찾아가는 눈건강 교실

(2) **학생 구강관리**

구강보건교육(양치 실천), 학생 치과주치의 사업, 찾아가는 구강 건강교실 운영 등

### ⑥ 건강장애학생 관리

(1) **학생건강검사(건강조사) 실시**: 건강장애 학생 재학 여부 조사, 해당 학생에 대한 지원 방안 마련(담임·보건·영양·체육교사 등) 조치

(2) **의료비 지원**: 희귀난치성질환 학생, 이주 학생

## 7 학교 내 응급상황 관리체계

### (1) 학교응급관리체계

현장 응급처치, 이송, 병원 치료 등 각 단계에서 필요한 구성 요소를 조직하고 유기적으로 연결시키는 통합적인 체계

① 응급상황관리반 : 초기대응반, 환자이송반, 행정지원반

② 보건교사 부재 시 업무 대행자 지정, 치료 경비는 학교 회계에 편성, 주변 의료기관에 대한 정보 확보, 응급환자 이송 및 사고기록지 작성, 학생 및 교직원 응급처치 교육

### (2) 응급환자 발생 시 대처요령

① CHECK(상황판단) : 응급상황 여부 확인, 환자상태 파악

② CALL(도움요청) : 응급구조요청, 응급환자 관리체계 가동

③ CARE(응급처치) : 안전한 장소로 환자 옮김, 응급처치 시행, 병원으로 환자 이송, 기록 및 추후 결과 확인

### (3) 응급처치 교육 : 학생·교직원 심폐소생술 교육 실시

### (4) 소아·청소년 당뇨병 학생 지원 : 학습권 및 건강권 보장을 위한 지원방안 마련·시행

> ⑩ 인슐린 접종 환경 조성(보건실 등 안전한 공간 제공, 파티션 등을 이용하여 투약 행위가 타인에게 노출되지 않도록 함)

## 8 학생 건강문제 관리

근골격계 부상, 복통, 경련(발작), 급성 천식, 귀의 부상, 눈의 부상, 당뇨성 응급, 두통, 머리와 척추의 손상, 물리거나 쏘인 경우, 실신, 아나필락시스/알레르기 반응, 열 관련 질환, 열상/찰과상, 치아 및 턱의 부상, 코의 손상, 흉부 부상, 화상

## 9 보건교육

### (1) 최소 1개 학년 이상을 대상으로 관련 교과와 창의적 체험활동을 통해 연간 17시간 이상 체계적·지속적인 보건교육 실시

### (2) 성교육, 성폭력 예방교육, 심폐소생술 및 응급처치교육, 음주·흡연 및 약물 오·남용 예방교육(학교 마약류 등), 정신건강증진교육, 감염병 예방교육 등 포함

(3) 2015 개정 교육과정

| 내용체계 | 핵심 아이디어 |
|---|---|
| 건강증진과 질병예방 | • 우리 삶의 질에 중요한 건강을 유지·증진하기 위해서는 건강의 연속성과 항상성 및 다양한 영향요인을 고려한 건강관리가 중요함<br>• 건강관리의 생활화를 위해서는 몸과 마음의 신호를 알아차리고, 건강관리 모델과 전략, 건강생활기술, 정보, 자원을 활용할 수 있는 건강관리 역량과 사회적 지지가 중요함 |
| 정서와 정신건강 | • 자신과 삶의 소중함에 대한 인식, 다양성 존중, 적절한 유대와 지지적 환경은 청소년기와 성인기 건강하고 행복한 삶의 기초가 됨<br>• 흡연·음주 및 의약품 오·남용은 개인과 사회의 건강 및 사회문제와 관련이 있으므로 내적인 힘과 생활기술 및 지지체계가 중요함 |
| 성과 건강 | • 성 건강은 개인과 가족의 행복, 국가 발전에 기본이 됨<br>• 성 건강관리는 성인지 관점 및 서로 다른 입장에 대한 균형 있는 접근과 이해를 필요로 함 |
| 건강안전과 응급처치 | • 생활 속에는 늘 위험이 있을 수 있고, 다양한 건강위험은 문제가 되기 전 대체로 신호가 있으며, 이는 도미노처럼 주변의 건강문제로 이어질 수 있으므로 개인과 공동체의 안전 감수성 및 참여와 협력에 기반한 예방과 관리가 중요함<br>• 위급 상황에서 공동체의 준비된 안전수칙 및 응급처치의 적용과 협력은 개인과 공동체의 사망 및 손상 악화 방지와 질병 회복의 결정적 요인으로 작용함 |
| 건강자원과 건강문화 | • 건강 수준은 가정환경, 성, 경제 수준 등에 따라 차이가 있으므로 건강을 옹호하고 지지하는 건강 지향적인 사회 환경이 필요함<br>• 디지털 기술과 미디어, 인공지능 시대의 보건의료 환경 및 의료 서비스의 변화는 사람들의 건강정보와 건강자원의 선택 및 활용에 영향을 미침<br>• 인류의 건강을 위협하는 기후변화는 지속가능한 사회를 위한 건강문화 조성 및 공동체의 책임감과 연대를 필요로 함 |

▸▸ 2022 개정 교육과정은 〈이론편〉 38쪽에 제시되어 있습니다.

## 10 학교 환경위생

(1) **학교시설 내 공기질 등 환경 위생 개선**: 실내 공기질 관리(주기적 환기, 청소, 정기점검 등)

(2) **학교에서 먹는 물 위생 관리**: 아리수, 정수기 등

(3) **학교 석면 관리**

(4) **어린이 활동공간 환경안전관리 기준 준수**

(5) **대기오염 발생에 따른 건강관리**: 미세먼지 등

(6) **교육환경 보호제도 운영·관리**: 교육환경보호구역 관리

# 06 학교급식

#식중독 예방 #영양관리 #식생활 지도 #위생관리
24 영양 구상, 23 영양 구상, 22 영양 구상, 21 영양 구상

**Intro** 주로 영양선생님들께서 많이 보셔야 하는 부분이고, 다른 선생님들께서는 먹거리 생태전환 위주로 살펴보시면 좋을 것 같습니다.

## 1 학교급식 운영 · 지원 · 관리

⑴ **학교급식 운영 원칙**: 직영급식 원칙

⑵ **학교단위 급식 수요자 참여 확대**: 학교급식소위원회 구성 · 운영, 열린학교급식 운영(학교급식 게시판, 만족도 조사, 학교급식의 날 운영 등)

⑶ **학교급식 경비, 학교급식 인력관리, NEIS 급식 시스템 운영**
  * 조리종사원: 조리사, 실무사
  * 학교급식 종사자: 영양교사, 영양사, 조리사, 조리실무사, 급식보조인력

## 2 식재료 구매관리

⑴ 학교급식품은 사전에 철저한 가격조사, 인근 학교와의 정보 교환, 인터넷 물가 동향 참고 등을 통하여 양질의 식품을 적정한 가격으로 구매

⑵ 인근 학교 간 또는 지역 단위 공동구매, 중소기업자 간 경쟁제품 지정, 우수한 식재료 사용

⑶ 식재료 검수 관리, 학교 우유급식 관리

⑷ 5無(잔류 농약, 방사능, 항생제, 화학적 합성첨가물, GMO) 급식 추진

⑸ 신선한 제철 과일 제공(제철 생과일비 반영)

### ③ 학교급식 위생·안전

(1) 학교급식 위생·안전관리, 시설관리(급식실 환기시설 개선 등)

(2) 학교급식 식중독 예방 및 대응체계 확립

(3) 감염병(코로나19 등) 예방 관리

### ④ 영양관리 및 식생활 지도

(1) **학교급식 영양관리**: 건강 지향적이며 성장발달 단계에 적합한 영양관리 강화

(2) **영양·식생활교육 강화**: 초·중학교 교육과정의 범교과 학습주제에 안전·건강교육을 포함

(3) **학교급식 식품 알레르기 예방 관리**: 알레르기 유발 식품 표시제 시행, 식사지도, 응급대책 마련

(4) **식생활안전·건강교육 활성화**: 식생활교육 선도학교, 식생활교육 동아리

(5) **영양 상담**: 비만·당뇨·고혈압·식품 알레르기 등 식사조절 필요 학생 및 교직원 대상 상담

### ⑤ 먹거리 생태전환

(1) **그린(GREEN)급식**: 채식 위주의 식단을 확대 운영하는 것

  \* 서울시교육청 그린급식 – '페스코(Pesco) 채식': 우유, 달걀, 생선류까지 허용

(2) **방법**: 그린급식 월 2회 운영(권장) 및 그린급식 바(bar)\* 운영, 학교 채식 선택제, 지구를 살리는 채식 식단 공모 및 운영, 학교 텃밭을 활용한 그린급식교육

  \* 그린급식 바: 학생들이 채소와 친해질 수 있도록 채소를 자유롭게 먹을 수 있게 제공하는 곳

(3) **먹거리 생태전환교육**

  ① 급식 전: 당일 급식 메뉴에 대한 생태전환교육적 설명, 채식 편견 줄이기, 채소와 친해지기

  ② 급식 중: 먹거리 생태전환에 참여하는 학생에 대한 인센티브 제공

  ③ 급식 후: 음식물 쓰레기 저감화와 배출교육, 음식물 용기(플라스틱·비닐 등)의 분리배출교육

(4) **음식물쓰레기 줄이기 지도**

  ① 학생들의 기호도 조사·분석 및 적정량 조리·배식, 식생활교육 실시

  ② 매주 1일 이상 '잔반통 없는 날' 운영

  ③ 편식교정 등 식사지도를 통한 음식물 남기지 않기 교육 실시, 학생 개인별 식사량 조절을 위한 배식 조절대 비치 및 활용

  ④ 지구사랑 빈그릇 운동: 시범학교 운영 지원, 학교급식 불용 식재료 및 잔식 활용을 위한 지역사회 협력 시스템

# 특별부록

단숨에 암기하는 핵심노트

# 더 질 높은 학교교육

## ① 교사

### 1. 교직관

| 교직관 | | • 교원이 교직을 지각하고 인식하는 관점(인지적 · 정의적 영역 포함)<br>• 유의어 : 교육철학, 교육신념, 교육관, 교육사명감 등 |
|---|---|---|
| 교원의 권리와<br>의무 | 권리 | 조성적 권리, 법규적 권리 |
| | 의무 | 적극적 의무, 소극적 의무 |
| 서울 교원 역량 | | 교육과정 운영, 학생 이해, 성찰과 성장, 학교 문화 및 환경 조성 |

### 2. 교사 지원

| 교원학습<br>공동체 | | 분류 | 학교 안, 학교 간 |
|---|---|---|---|
| | | 영역 | 교육과정 재구성, 수업 · 평가, 생활교육 |
| | | 목적 | 학생 전인적 성장, 전문적 교원으로서 성장, 민주적 소통 학교 문화 |
| | | 과정 | 공동연구, 공동실천, 공동성찰 |
| 교원의 교육활동 | 교육활동<br>침해행위 | 주체 | 고등학교 이하 각급 학교의 학생 또는 그 보호자 등 |
| | | 유형 | 공무방해, 무고, 상해와 폭행 등 |
| | | 발생 시 | 지역교권보호위원회, 초기 대응 요령 |
| | 교육활동<br>보호 · 지원 제도 | | 1교 1변호사제, 교육활동보호지원단, 교육활동 보호 신속대응팀, 교원안심공제<br>서비스, 교육활동보호센터 등 |

## ② 교육 혁신

### 1. 교육과정-수업-평가 혁신

| 필요성 | | | 급변하는 교육환경, '모두의 탁월성'을 위한 교육 |
|---|---|---|---|
| 교육과정 혁신 | 방향 | | 함께 만들어가는 교육과정 |
| | 실천 방안 | | 학생 참여·선택권 부여, 학생 수준과 수업 현실을 고려해 교육과정 재구성, 교사 교육과정 운영 |
| | 2022 개정 교육과정 | 비전 | 포용성과 창의성을 갖춘 주도적인 사람 |
| | | 추구하는 인간상 | 자기주도적인 사람, 창의적인 사람, 교양 있는 사람, 더불어 사는 사람 |
| | | 핵심 역량 | 자기관리 역량, 지식정보처리 역량, 창의적 사고 역량, 심미적 감성 역량, 협력적 소통 역량, 공동체 역량 |
| 수업 혁신 | 방향 | | 배움 중심 수업 |
| | 실천 방안 | 학생 중심 수업 | 독서-토론-글쓰기 수업, 주제 중심 프로젝트, 에듀테크 활용 혼합 수업, 협력적 융합 수업, 인공지능 기반 학습 등 |
| | | 교사 역량 강화 | 수업나눔카페, 수업·평가나눔 교사단, 장학, 교원학습공동체 |
| | | 그 외 | • 혁신 모델 : 생각을 키우는 교실, 생각을 쓰는 교실<br>• 신학년 집중 준비기간 활용 |
| 평가 혁신 | 방향 | | 학생의 배움과 성장을 돕는 과정 중심 평가 |
| | 내용 | | 평가 패러다임의 변화, 실천 방안, 교사 역량 강화 방안 |
| 한국형 바칼로레아 | | | ① 미래 역량 중심 교육과정, ② 학습자의 자기 주도적 성장을 추구하는 탐구형 수업,<br>③ 생각하고 표현하는 힘을 키우는 논·서술형 평가 체제, ④ 교수·학습 중심의 협력적 학교 운영 |

### 2. 초등 특화 정책

| 초 1~2 | • 유치원-초등학교 전환기 학교 적응활동(초1)<br>• 안정과 성장 맞춤 교육과정<br>• 기초학력 협력강사 운영 |
|---|---|
| 초 3~6 | 창의·공감 교육과정 |
| 기타 | 꿈을 담은 놀이터, 돌봄 |

## 3. 자유학기제

| 추진 방향 | | 학생 참여형 수업, 개별 학생 지원, 학생 역량 강화, 과정 중심 평가, 전환기 적응활동 |
|---|---|---|
| 활동 영역 | 주제 선택 활동 | 학생의 흥미, 관심사 반영 교과 연계 전문 프로그램 |
| | 예술·체육 활동 | 다양하고 내실 있는 예술·체육 교육, 소질과 잠재력 계발 |
| | 동아리 활동 | 학생 자치활동 및 특기·적성 개발 |
| | 진로탐색 활동 | 적성과 소질 탐색, 스스로 미래를 설계, 체계적인 진로교육 |
| 전환기 적응활동 | | '기초와 적응' 프로그램(초-중 적응 지원) |
| | | 진로연계교육(중-고 적응 지원) |

## 4. 고교학점제

| 고등학교 교육과정 | | 공통 과목, 학교 지정 과목, 학생 선택 과목(일반 선택/진로 선택) |
|---|---|---|
| 내실화 방안 | 진로·학업 설계 | 하이인포, 커리어넷, 대입정보포털 '어디가', 학교 알리미, 서울진로진학정보센터, 콜라 캠퍼스(공유 캠퍼스) |
| | 교육과정 다양화 | 맞춤형 교육과정 편성, 다양한 교과목 개설, 공동 교육과정, 지역사회 연계 교육과정, 온라인 교육과정, 콜라 캠퍼스 |
| | 교육과정 이수 지도 | 커리큘럼 컨설팅, 시간표 관리, 교과수업 및 창체 연계 지도 |
| | 수업 및 평가 개선 | 토론, 실험, 협동학습 등 다양한 교수·학습 및 평가 |
| | 공강 관리, 고교학점제 학교 공간 | 교과교실제, 꿈담학습카페, 설렘ON실, 홈베이스 |
| | 홍보 | 중학생을 위한 서울형 고교학점제 워크북 등 다양한 홍보 콘텐츠 제공 |
| | 교원 역량 강화 | CDA 양성, 연수를 통한 전문성 신장 지원 |
| 나타날 수 있는 문제점 및 해결 방안 | | • 과목 선택 어려움 → 개인별 진로 로드맵 구축, 고등학교 교육과정 안내서 제공, 학생 진로설계 지도 강화, 진로 콘텐츠 제공<br>• 소외 학생 발생 우려 → 학급 활동, 교과 시간 협력 수업<br>• 인식 부족 → 고교학점제 홍보 시간 제공, 개인 시간표 작성, 공강 시간 활용 방법 안내<br>• 수강 과목이 개설되지 않을 경우 → 공유 캠퍼스, 학교 간 협력 교육과정 |

## 5. 혁신미래학교

| 개념 | | • 공교육 혁신, 교육 본질 회복, 권위주의적 학교문화 개선<br>• 학교 운영 혁신, 교육과정·수업·평가 혁신, 공동체문화 활성화 |
|---|---|---|
| 실천 과제 | 자율과 책임의 교육과정·수업· 평가 혁신 | 자율 교육과정, 수업 혁신, 평가 강화 |
| | 협력과 공존의 학교문화 혁신 | 민주적 학교자치 구현, 학습하고 성장하는 공동체문화 활성화 |

| | 지속 가능한 교육 중심 학교환경 구축 | 안전한 교육 환경, 학교 환경의 생태적 전환, 디지털 기반 교육 혁신 |
|---|---|---|

## ③ 전인교육

### 1. 협력적 독서 · 인문교육

| 활성화 방안 | | 학교 도서관 활용(수업 · 프로그램 · 이용 행사), 학급 문고 비치, 학급 독서 행사, 교내 독서 대회, 독서 동아리, 독서 주간, 자유학기 주제선택 프로그램, 독서 모델을 활용한 수업 |
|---|---|---|
| 독서 수업 모델 | 서울형 독서 · 토론 기반 프로젝트 수업 | 교육과정 재구성 → 엮어 읽기 → 탐구 질문 생성 → 탐구 활동 → 문제 해결 |
| | 서울형 심층 쟁점 독서 · 토론 프로그램 | 도서 선정 → (사회) 쟁점 찾기 → 핵심 질문 만들기 → 토론하기 → 확장 및 실천하기 |
| | 아침 책 산책 프로젝트 | 자기주도형 자율 독서, 성찰형 기록과 내면화, 공감 · 소통형 상호작용 |
| | 독서 · 인문 교육과정 체계화 | (초) 서울학생 첫 책 만나기(놀이 중심 독서교육)<br>(중) 서울학생 첫 책 쓰기(협력적 책 쓰기 교육)<br>(고) 서울학생 첫 책 되기(삶과 만나는 인문학 교육) |

### 2. 진로교육

| 교육과정 | 교과 연계 | 관련 교과 및 창체 연계, 진로와 직업 과목 편성, 일반 교과 및 단원과 연계한 진로 수업 |
|---|---|---|
| | 진로 교육환경 | 학교 진로활동실 구축, 진로전담교사 배치 |
| | 다양한 활동 | 진로 동아리 · 진로 검사 · 진로 상담 · 진로 멘토링 등, 전환 시기 진로 연계 교육 |
| 진로체험 | 유형별 | 현장 직업 체험형, 현장 견학형, 학과 체험형, 진로 캠프, 강연 · 대화형, 직업 실무 체험형 |
| | 미래사회 맞춤형 진로활동 | 신산업분야 진로체험, 창업가정신 함양 교육 |
| | 서울진로직업 박람회 | 진로 탐색관, 진로 상담관, 진로 행사관, 진로직업체험관, 진로 전시관 등 |
| 진로 안전망 | 플랫폼 | 꿈길(진로체험), 쎈(SEN) 진로교육 자료 몽땅, 꿈키움(소외계층) |
| | 학부모 진로교육 활성화 | 학부모 진로교육 영상 보급, 중학교 학부모 대상 진로지도 설명회 등 |

## 3. 학교체육교육

| | | |
|---|---|---|
| 체육<br>교육과정<br>운영 내실화 | 초등학교 | 체육수업 운영 내실화, 초등학교 체육 전담교사 지정, 초등(특수)학교 스포츠강사 지원, 3~4학년 생존수영교육 |
| | 중·고등학교 | 체육교육과정 편성 운영 지침 준수, 중학교 교육과정 내 학교스포츠클럽활동, 고등학교 체육교육과정 특성화학교 |
| | 체육수업 활성화 | 체육수업 지원 컨텐츠 다양화, 서울 학교체육 포털 운영 |
| | 체육교원 전문성<br>신장 | 교원, 스포츠강사, 생존수영실기교육 지도 역량 강화 |
| 1학생<br>1스포츠<br>활동<br>일상화 | 학교스포츠<br>클럽 | 학교스포츠클럽(학생 주도), 마을 단위 학교스포츠클럽, 스포츠캠프, 단위학교 자율 체육 프로그램 및 각종 대회 |
| | 여학생 체육활동 | 공차소서(축구), 공치소서(야구) |
| | 자·타·공·인 | 찾아가는 자전거타기 안전교실(초4), 자전거 활성화 시범 학교, 자전거 동아리 지원 등 |
| 학생<br>건강체력<br>관리 및<br>증진 | 건강체력 | 학생건강체력평가(PAPS) 및 건강체력교실 운영 |
| | 프로그램 | • 아침운동 활성화<br>• 서울학생 건강더하기+(체력관리+)<br>• 365+ 체육온 동아리 |
| 서울형<br>학교운동부 | | 학습권, 인권 보호, 진로역량 강화 등 |

## 4. 학교예술교육

| | | | |
|---|---|---|---|
| 교육과정 연계 | 초등예술하나 | | 정규 수업시간에 주 1회 1시간 예술 활동 진행 |
| | 협력종합<br>예술활동 | 초등 | 교육과정에 편성하거나 담임교사와 강사의 협력수업 등으로 진행, 예술을 경험하는 것을 목표로 함 |
| | | 중등 | • 교과 내 다양한 수업 형태나 창체로 운영함<br>• 교복입은 예술가 : 학생 주도로 학급의 모든 학생이 역할을 분담하여 참여하고 발표하는 것이 중요함 |
| 학생예술동아리 | | | • 1학생 1예술동아리 활동<br>• 교육청 주최 발표 기회 제공(우동소, 예술몽땅 페스티벌) |
| 교육청 : 예술경험 기회 | | 오프라인 | 서울학생 악기공유마당, 학교오케스트라 활동, 서울학생필하모닉오케스트라 |
| | | 온라인 | 서울교육 예술인, 예몽TV |

Chapter

02

# 더 평등한 출발

## 1. 기초학력 지원

| 1단계: 기초학력 보장 체계 구축 | | 학습지원대상학생 지원 협의회, 담당 교원 지정 |
|---|---|---|
| 2단계: 진단 | 진단 도구 | 서울기초학력진단-보정 시스템, 배·이·스 캠프 등 |
| | 통합적 진단 활동 | 관찰, 상담, 학생 성장이력 검토 등 |
| 3단계: 다중학습안전망 | 수업 중 | • 협력강사와의 협력수업<br>• 에듀테크, AI 등을 활용한 협력수업 준비 |
| | 학교 안 | 토닥토닥 키다리샘, 학교 자체 프로그램, 학습 지원 튜터, 전환기 기초학력 프로그램, 책임교육학년제 |
| | 학교 밖 | 서울지역학습도움센터, 지역사회 유관기관 연계 |
| 가정 연계 | | • 보호자 역량 제고: 학습 자료 제공, 보호자 든든 연수, 맞춤 상담<br>• 홍보 강화: 기초학력 온라인 소식지, 기초학력 향상 사례 제공 등 |

## 2. 특수교육 및 통합교육

| 개념 | 특수교육대상자, 통합교육, 개별화교육, 완전통합/부분통합 |
|---|---|
| 지원 | 특수교육지원센터, 특수학생 진로 및 직업교육 |
| 장애공감문화 | 장애이해교육, 교육과정 연계 장애공감수업, 장애학생 인권침해 예방(더봄학생) 정책, 배리어프리 캠페인(일상 속) |

## 3. 교육복지

| 교육복지 | 대상 | 경제취약, 문화취약, 적응취약, 집중관리학생 |
|---|---|---|
| | 지원 | • 학생맞춤통합지원체계<br>• 학생맞춤형 특화사업(서울희망교실, 새꿈 프로그램)<br>• 지역교육복지센터<br>• 정의로운 차등 |
| 다문화학생 지원 | 적응 | 서울다문화교육지원센터, 맞춤형 심리·정서 상담 지원, 징검다리과정 |
| | 언어 | 한빛마중교실, 다문화 특별학급, 한국어교실, 다문화 언어강사, 이중언어교실, 다문화학생 보조인력 |
| | 학습 | 다가치 멘토링(기초학력) |
| | 진로 | 꿈토링스쿨 |

| 탈북학생 지원 | 학기중 | 1 : 1 맞춤형 멘토링, 탈북학생 심리상담 프로그램 |
|---|---|---|
| | 주말 | 탈북학생 토요 거점 방과후학교 |
| | 방학중 | 탈북학생 방학학교(학습멘토링, 진로탐색) |
| | 통일전담교육사 배치 | |

## 4. 학업중단 예방

| 학업중단 예방 | 학교 내 상담 | 담임교사, 위(wee) 클래스 |
|---|---|---|
| | 프로그램 | 학교 내 대안교실, 사제동행 멘토링 |
| 학업중단 유예 | • 학업중단 숙려제(상담 중심)<br>• 학교 내 대안교실(맞춤 프로그램 중심)<br>• 대안교육 위탁교육기관 | |
| 학업중단 이후 | 학교 밖 청소년<br>지원센터(친구랑) | 학생 정보 연계, 맞춤형 교육·진로·정서 지원 프로그램, 교육참여수당 지급 |

Chapter

**03**

# 더 따뜻한 공존교육

## 1. 생태전환교육

| 교육과정 연계 | 수업 | 교과 내 주제 중심 수업, 교과 간 융합 또는 주제 통합 수업, 국제 공동 수업, 교육과정 재구조화, 프로젝트 수업 |
|---|---|---|
| | 프로그램 연계 | 자유학기 주제선택 프로그램, 전환기 프로그램 |
| | 비교과 활동 | 특색활동, 학생회활동, 동아리, 봉사, 진로 등<br>예 기후위기 VR 게임 행사, 학교 텃밭 가드닝, 친환경 먹거리 실천 캠페인, 에너지 절약 지킴이 운영 등 |
| 학교 문화 조성 | 실천행동 | • 일회용품 사용하지 않기<br>• 모바일 기기를 활용한 회의, 수업<br>• 자원순환 실천 예 교복, 중고책, 학용품 나누기 등 |
| | 주간 | 기후 변화 주간, 환경 교육 주간, 생태전환교육의 달 |
| 협력적 네트워크 | | • 교사 기후행동 365 : 교육과정 연계 생태전환교육 연구, 교육활동 등<br>• 학생 기후행동 365 : 캠페인, 기후행동 실천 약속 등 |
| 농촌유학 | | 도시-농촌 간 생태체험 교육 |
| 먹거리 생태전환 | | 그린급식, 음식물쓰레기 줄이기 |
| 생태전환 관련 소재 | | 에너지, 자원, 물, 탄소 순환, 대기 오염, 해양 오염, 토양 오염, 기후 변화, 지속가능발전, 친환경, 재활용, 재사용 |

## 2. 세계시민·통일교육

| 세계시민교육 | 목적 | 공존과 상생의 글로벌 역량, 포용과 공존을 실천, 평화 감수성 |
|---|---|---|
| | 유사 개념 | 국제이해교육, 지속가능발전교육, 문화다양성교육, 다문화교육 |
| | 교육 방안 | 교육과정 재구성, 주제 중심 수업, 창의적 체험활동, ≪지구촌과 함께하는 세계시민≫ 교과서, 서울다문화교육지원센터, 국제공동수업 |
| 통일교육 | 목적 | 통일 실현의지 고양. 통일관 확립, 학생 체험·참여 중심의 교육, 사전 계획 수립 시 충분한 검토 |
| | 교육 방안 | 평화·통일교육 주간. 국립통일교육원, '학교로 찾아가는 통일버스' |

## 3. 민주시민교육

| 기본 원칙 | 민주주의 발전에 기여, 사회에서 논쟁적인 것은 학교에서도 논쟁적으로 다루어야 함, 주입식 방식이 아닌 자유로운 토론과 자발적인 참여 |
|---|---|
| 교육 내용 | 헌법의 기본 가치와 이념, 합리적 의사소통방식, 민주적 의사결정구조, 선거, 민주주의의 발전 등 |
| 교육 방안 | 교육과정 연계 사회 현안 교육(역지사지 공존형 토론수업), 참정권 교육, 학생봉사활동 |
| 학생자치활동 | • 학급자치, 학급회의, 학교운영에서의 학생 참여 기회 확대<br>• 학생자치참여예산제 운영, 학생 참여 선순환체제 정착 |

## 4. 학생인권

| 주요 권리 | 차별받지 않을 권리, 폭력 및 위험으로부터의 자유, 교육에 관한 권리, 사생활의 비밀과 자유 및 정보의 권리, 양심·종교의 자유 및 표현의 자유, 자치 및 참여의 권리, 복지에 관한 권리, 징계 등 절차에서의 권리, 권리침해로부터 보호받을 권리, 소수자 학생의 권리 보장 |
|---|---|
| 보호 및 증진 방안 | • 인권 친화적인 학교 문화 조성(민주적 학생생활규정 제·개정, 학생자치 활성화 등)<br>• 상호 존중 학생인권교육(교육과정 연계, 학생인권교육 지원단, '학생인권의 날' 등) |
| 노동인권 | 개념, 종류, 노동인권교육(필요성, 내용, 교육 방안) |

## 5. 인성교육

| | 목표 | '공동체형 인성' 함양 | | | | | |
|---|---|---|---|---|---|---|---|
| 개념 | 3대 핵심 가치 및 6가지 덕목 | 존엄 | | 포용 | | 공존 | |
| | | 자율 | 책임 | 존중 | 나눔 | 연대 | 평화 |
| 교육 방안 | '존엄'한 학생을 기르는 인성교육 | 학교 교육과정 내 인성교육 | [초] '꿈잼교실', '우리가 꿈꾸는 교실'과 연계한 프로젝트 수업 등<br>[중] 문화·예술교육, 국제공동수업, 서울형 독서 기반 프로젝트 수업 등<br>[고] 서울형 심층 쟁점 독서·토론 프로그램 등 | | | | |
| | | 가정과 함께하는 인성교육 | 식사 예절, 올바른 대화법, 건강한 부모-자녀 관계 형성 등 | | | | |
| | 서로 '포용'하는 공동체를 만드는 인성교육 | 따뜻한 학교 공동체 문화 조성 | 친구사랑 주간, 상호 존중의 언어 사용 캠페인, 교사와 학생이 함께하는 공동체활동 등 | | | | |
| | | 지역과 함께하는 인성 문화 확산 | 미래교육지구와 연계한 마을 사랑 프로그램, 지역 문제 해결을 위한 프로젝트·토론 수업 등 | | | | |
| | 평화롭게 '공존'하는 세상을 만드는 인성교육 | '한국계 지구인'을 양성하는 세계시민 인성교육 | 평화교육, 세계시민교육, 다문화교육 등 | | | | |
| | | 미래를 살아가는 시민성교육 | 디지털 리터러시 교육, 서울형 인공지능 윤리교육, 생태시민교육 등 | | | | |

## 6. 서울미래교육지구(마을교육공동체)

| 핵심 가치 | | 협력, 미래, 소통, 다양성 |
|---|---|---|
| 지역연계 교육과정 | 운영 구조 | 지역 전문가 협업, 학교 교육과정 풍부화, 지역자원 연계 |
| | 단위별 | 지역연계 학습일(학년), 지역연계 교육과정 실천교실(학급) |
| 지역연계 학생맞춤 통합지원 | 학생 자치 | 방과후활동 프로그램, 다가치학교, 활동공간 발굴, 학교자율 특화사업 운영 |
| | 교육복지 | 교육 후견인제, 성장단계별 맞춤형 통합교육돌봄 협력체제 |

## Chapter 04

# 더 세계적인 미래교육

## 1. AI·디지털 교육

| AI·디지털 교육 | • AI 교육과정 정보교과 시수 확대, 방과후학교, 자율동아리 등<br>• 마중물학교 : 학습지원 대상 학생의 기초학력 보장 |
|---|---|
| 디지털 학습 도구 | 디벗, AI 디지털 교과서, 디지털 새싹(사업), 전자칠판 등 |
| 학습 사이트 | 공공학습관리시스템(LMS), 온라인 학습 사이트, 온라인 SW 교육 플랫폼 |
| AI·디지털 리터러시<br>교육 | • 인공지능 리터러시, 디지털 리터러시<br>• 서울형 인공지능 윤리교육(진단검사, 팩트체크, 교원 역량 강화)<br>• 과의존 예방(스마트쉼센터, 아이윌센터 등) |

## 2. 공간 재구조화

| 필요성 | • 노후학교 증가, 획일화된 교육 공간<br>• 미래 교육과정에 능동적으로 대처, 미래지향적 학교 공간 조성 |
|---|---|
| 효과 | 지속가능한 미래에 기여, 학교 교육력 향상, 지역사회에서의 학교 역할 강화 등 |
| 꿈을 담은 교실 | 참여 디자인, 공유 디자인, 포용 디자인, 생태 디자인 |
| 노후학교<br>공간 재구조화 | 그린, 스마트, 공간 개선, 복합화, 안전 |

Chapter

05

# 더 건강한 안심교육

## 1. 생활교육과 상담

| 생활교육 | | 회복적 생활교육(자기공감, 적극적 경청, 비폭력 대화, 서클 활동, 회복적 질문) | |
|---|---|---|---|
| 상담 | 갈등 | 교사–교사, 교사–학부모, 학생–교사 | |
| | 상담 기술 | 경청, 공감, '나' 전달법(관찰·느낌·욕구·부탁), 개방형 질문 | |
| | 학부모 상담 | 샌드위치 피드백, 학부모의 욕구 파악 | |
| | 학생 사례 (경청, 공감 공통) | 우울, 무기력 | 다른 관점 안내, 버텨주기, 생활습관 개선 |
| | | 집중력 부진 | 일관된 환경 조성, 간결한 지시, 긍정적인 칭찬 |
| | | 사회성 부족 | 원인 파악, 함께 버텨주기, 사회적 기술 교육 |
| | | 과의존 | 중독 이유 파악, 자기조절 목표 설정, 전문기관(스마트쉼센터) |
| | | 인지적 어려움 | 정확한 진단 필요, 전문기관(서울학습도움센터), 적절한 수준의 과제 제공, 단계를 나누어 반복 설명 |
| | | 자해 | 치료, 생명존중위원회, 대체행동 |
| | | 자살 시도 | 직접적으로 물어봄, 생명존중위원회 |
| 지원 | 위(Wee) 프로젝트 | 위(Wee) 클래스, 위(Wee) 센터, 서울 위플(Weepl) | |

## 2. 학교폭력 예방

| 학교폭력 | 유형 | 신체폭력, 언어폭력, 사이버폭력, 금품갈취(공갈), 강요, 따돌림, 성폭력 |
|---|---|---|
| | 제도 | 학교폭력 전담기구, 학교장 자체 해결제, 학교폭력 제로센터 |
| | 예방 | • 어울림 프로그램, 스쿨벨 시스템, 지역사회 연계 예방 활동<br>• 관계회복(관계가꿈 프로젝트) |
| 성교육 | 내용 | • 성인지 감수성 함양, 경계 존중, 성적 자기결정권, 성 고정관념, 건강한 성, 성폭력 예방 등<br>• 성교육 집중이수제 |

## 3. 아동학대 예방

| 유형 | | 신체학대, 정서학대, 성학대, 방임, 유기 |
|---|---|---|
| 대처 | 조기 발견 | 아동학대 징후 체크리스트 |
| | 사안 처리 | 인지 즉시 신고, 증거 확보, 신고의무자 보호 |
| 예방 교육 | 아동 | 학교교육과정 연계, 발달 수준 고려, 반복 지도 |
| | 학부모 | 부모교육, 긍정 양육 129 원칙 |
| | 신고의무자 | 아동학대 신고 요령, 피해아동 보호 절차 |

## 4. 안전교육

| 목적 | 위기대응능력 강화, 안전의식 내면화, 안전감수성 |
|---|---|
| 학교안전교육 7대 표준안 | 생활안전, 교통안전, 폭력 예방 및 신변보호, 약물·사이버 중독 예방, 재난안전, 직업안전, 응급처치 |
| 교육 방안 | 자기주도적인 학교안전교육, 체험 중심의 안전교육, 지속가능한 안전교육 생태계 |
| 학교안전사고 | 정의, 발생 시 조치 및 대응 방법, 학교안전사고보상공제 |

## 5. 학교보건

| 보건실 운영 | | | 학교보건 운영계획, 방문학생 관리, 학생건강기록부, 보건일지 |
|---|---|---|---|
| 학생건강검사 | | | 건강조사(병력, 식생활 및 건강생활 행태, 정신건강상태검사 등), 건강검진(척추, 눈·귀, 콧병·목병·피부병, 구강, 병리검사 등) 신체발달상황검사(키, 몸무게), 별도검사(시력, 소변, 결핵) |
| 학교 감염병 예방·관리 | | | • 감염병 예방, 감염병 발생 시 즉각 대응(감염병 관리대책반)<br>• 학교 내 결핵 예방 |
| 약물 오·남용 예방 | 예방교육 | | (흡연/약물 오·남용/마약류)<br>함께 만들어가는 담배 없는 서울학교, 의무교육 |
| 시력·구강관리 | 시력 | | 학생시력저하 예방교육, 교실 내 적정 조도 관리, 건강검사 결과 시력 교정 대상·교정학생 시력 관리, 찾아가는 눈건강 교실 |
| | 구강 | | 구강보건교육, 학생 치과주치의 사업, 찾아가는 구강 건강교실 운영 등 |
| 학교 내 응급상황 관리체계 | 대처요령 | CHECK(상황판단) | 응급상황 여부 확인, 환자상태 파악 |
| | | CALL(도움요청) | 응급구조요청, 응급환자 관리체계 가동 |
| | | CARE(응급처치) | 안전한 장소로 환자 옮김, 응급처치 시행, 병원으로 환자 이송, 기록 및 추후 결과 확인 |
| 보건교육 | 핵심 역량 | | 건강관리능력, 건강정보자원 활용능력, 건강안전위협 인식능력, 건강의사결정능력, 건강의사소통능력, 건강 사회·문화 공동체의식 |
| 학교 환경위생 | | | 학교시설 내 공기질 등 환경 위생 개선, 학교에서 먹는 물 위생 관리, 학교 석면 관리, 어린이 활동공간 환경안전관리, 미세먼지, 교육환경보호구역 관리 |

## 6. 학교급식

| 학교급식 운영 · 지원 · 관리 | | 직영급식 원칙, 학교급식소위원회, 열린학교급식 운영 |
|---|---|---|
| 식재료 구매관리 | | 적정 가격 구매, 5無 급식, 제철과일비 |
| 학교급식 위생 · 안전 | | 급식실 환기시설, 식중독 예방, 감염병 예방 |
| 영양관리 및 식생활 지도 | | 식생활교육, 식품 알레르기 예방, 영양 상담 |
| 먹거리 생태전환 | 그린급식 | 월 2회 운영, 그린급식 바 |
| | 음식물쓰레기 줄이기 | 기호도 분석, 적정량 조리, 식생활교육, 지구사랑 빈그릇 운동 |

- 2024 AI·디지털 기반 교육 기본 계획, 서울특별시교육청
- 2024 곁에두고 바로쓰는 통합학급 길라잡이(고등학교편), 서울특별시교육청
- 2024 곁에두고 바로쓰는 통합학급 길라잡이(중학교편), 서울특별시교육청
- 2024 곁에두고 바로쓰는 통합학급 길라잡이(초등학교편), 서울특별시교육청
- 2024 고교학점제 학교 공간 조성(교과교실제) 운영 기본 계획(시행용), 서울특별시교육청
- 2024 기초학력진단검사 도구 활용 안내, 서울특별시교육청
- 2024 보건교육 및 학생건강증진 계획, 서울시특별시교육청
- 2024 생태전환교육 기본 계획, 서울특별시교육청
- 2024 서울 기초학력 보장 시행계획(안내용), 서울특별시교육청
- 2024 서울 초등돌봄교실 운영 길라잡이, 서울특별시교육청
- 2024 서울미래교육지구 기본 계획, 서울특별시교육청, 25개 서울특별시 자치구
- 2024 서울초등교육, 서울특별시교육청
- 2024 서울특수교육, 서울특별시교육청 특수교육과
- 2024 중등 단위학교 기초학력 책임지도 지원 계획(송부용), 서울특별시교육청
- 2024 중등 협력종합예술활동 운영 계획(송부용), 서울특별시교육청
- 2024 지역연계 교육과정 운영 지원을 위한 안내자료, 북부교육지원청
- 2024 통합교육 업무 지원-한 권에 담은 통합교육 실행 도움 자료, 서울특별시교육청
- 2024 학교 성희롱·성폭력 사안처리 가이드북, 서울특별시교육청 민주시민생활교육과
- 2024 학교예술교육 활성화 기본 계획(송부용), 서울특별시교육청
- 2024 혁신학교(혁신미래학교) 운영 기본 계획, 서울특별시교육청
- 2024년도 일부개정 학교폭력 사안처리 가이드북, 교육부, 이화여자대학교 학교폭력예방연구소
- 2024학년도 다문화교육 기본 계획, 서울특별시교육청 민주시민생활교육과
- 2024학년도 서울진로교육 활성화 계획(송부용), 서울특별시교육청
- 2024학년도 서울형 교육복지사업 기본 계획, 서울특별시교육청 참여협력담당관
- 2024학년도 탈북학생 교육지원 기본 계획, 서울특별시교육청 민주시민생활교육과
- 2024학년도 학교 성교육 기본 계획, 서울특별시교육청 민주시민생활교육과
- 2024학년도 학교급식 기본방향, 서울특별시교육청
- 2024학년도 학교보건 기본방향(학교 보건 분야), 서울특별시교육청 체육건강예술교육과
- 2024학년도 학교보건 기본방향(학교 환경위생 분야), 서울특별시교육청 체육건강예술교육과
- 2024학년도 학교체육 활성화 추진 기본 계획, 서울특별시교육청
- 2024학년도 학교폭력 예방을 위한 사이좋은 관계 가꿈 프로젝트 추진 계획 안내, 서울특별시교육청 민주시민생활교육과
- 2024학년도 학생맞춤통합지원 체계 구축 계획, 서울특별시교육청 참여협력담당관
- 2024학년도 학업중단 숙려제 운영 계획, 서울특별시교육청
- 2024학년도 학업중단 예방 계획(안내용), 서울특별시교육청
- 2024학년도 한글책임교육 기본 계획, 서울특별시교육청 초등교육과
- 2023 곁에두고 바로 쓰는 통합학급 길라잡이, 서울특별시교육청 특수교육과
- 2023 기초학력 협력 강사 운영 길라잡이, 서울특별시교육청 초등교육과

- 2023 꿈잼교실 운영교사 가이드북, 서울시특별시교육청 초등교육과
- 2023 단위학교 기본학력 책임지도제 운영 가이드북, 서울특별시교육청
- 2023 더공감교실 운영사례집 중·고등학교편, 서울특별시교육청
- 2023 독서·토론·인문소양교육 기본 계획(송부용), 서울특별시교육청 중등교육과
- 2023 독서교육, 서울특별시교육청 초등교육과
- 2023 보건교육 및 학생건강 증진 계획, 서울특별시교육청 체육건강예술교육과
- 2023 생각을 키우는 교실 운영 기본 계획, 서울시특별시교육청 초등교육과
- 2023 생각을 키우는 교실 운영 기본 계획(안내용), 서울특별시교육청 초등교육과
- 2023 생태전환교육 기본 계획, 서울특별시교육청
- 2023 서울인성교육 시행 계획, 서울특별시교육청 초등교육과
- 2023 서울특수교육, 서울특별시교육청 특수교육과
- 2023 서울형혁신학교 운영 기본 계획(안내용), 서울특별시교육청
- 2023 아동학대 예방 및 대처 요령 가이드북, 교육부, 한국교육개발원, 유스메이트 아동청소년 문제 연구소
- 2023 위(Wee) 프로젝트 운영 계획, 서울특별시교육청 민주시민생활교육과
- 2023 유·초·중·고 통합교육 및 특수학급 운영방향, 서울특별시교육청 특수교육과
- 2023 인공지능(AI)·과학·메이커·영재·정보·수학교육 주요 업무 계획, 서울특별시교육청
- 2023 장애공감문화 활성화 운영 계획, 서울특별시교육청 특수교육과
- 2023 중등 나눔 성장 교실혁명 프로젝트 기본 계획, 서울특별시교육청 중등교육과
- 2023 초 1~2 안정과 성장 맞춤 교육과정 운영 기본 계획, 서울특별시교육청
- 2023 초 3~6 창의공감 교육과정 운영 기본 계획, 서울특별시교육청 초등교육과
- 2023 통합교육 업무 지원－한 권에 담은 통합교육 도움 자료, 서울특별시교육청 특수교육과
- 2023 평화세계시민교육 기본 계획, 서울특별시교육청 민주시민생활교육과
- 2023 학교 내 대안교실 운영 계획, 서울특별시교육청
- 2023 학교 안 교원학습공동체 길라잡이, 서울특별시교육청 교육혁신과 학교혁신지원센터
- 2023 학교 안 교원학습공동체 운영 계획, 서울특별시교육청 교육혁신과
- 2023 학교급식 운영 안내, 서울시특별시교육청 체육건강예술교육과
- 2023 학교민주시민교육 활성화 기본 계획, 서울특별시교육청 민주시민생활교육과
- 2023 학교예술교육 활성화 기본 계획, 서울특별시교육청
- 2023 학생인권증진 기본 계획, 서울특별시교육청 민주시민생활교육과
- 2023 학업중단숙려제 운영 계획, 서울특별시교육청
- 2023 한눈에 보는 보건업무 길라잡이, 서울특별시교육청 체육건강예술교육과
- 2023~2024 서울미래교육지구 기본 계획 알림, 서울특별시교육청 참여협력담당관
- 2023년 디지털 교수학습 지원 기본 계획, 서울특별시교육청 중등교육과
- 2023년 학교흡연예방사업 지침, 서울특별시교육청 체육건강예술교육과
- 2023~2027년 학생도박 예방교육에 관한 기본 계획, 서울특별시교육청 민주시민생활교육과
- 2023년도 지역연계형 청소년 자치배움터 다가치학교 추진 계획, 서울특별시교육청 참여협력담당관
- 2023년도 학교 안전교육 계획(안), 서울특별시교육청 정책·안전기획관
- 2023학년도 관계가꿈 프로젝트 추진 계획, 서울특별시교육청 민주시민생활교육과

- 2023학년도 다문화교육 기본 계획, 서울시교육청 민주시민생활교육과
- 2023학년도 서울진로교육 활성화 계획, 서울특별시교육청
- 2023학년도 서울형 교육복지사업 기본 계획, 서울특별시교육청 참여협력담당관
- 2023학년도 중등 학생평가 내실화 계획, 서울특별시교육청 중등교육과
- 2023학년도 중학교 자유학기(년)제 운영 계획, 서울특별시교육청 중등교육과
- 2023학년도 초·중·고 교육비 및 교육급여 지원 기본 계획, 서울특별시교육청 참여협력담당관
- 2023학년도 학교 노동인권교육 활성화 기본 계획, 서울특별시교육청 민주시민생활교육과
- 2023학년도 학교급식 기본방향, 서울특별시교육청 체육건강예술교육과
- 2023학년도 학교보건 기본방향(학교 보건 분야), 서울특별시교육청 체육건강예술교육과
- 2023학년도 학교보건 기본방향(학교환경위생분야), 서울특별시교육청 체육건강예술교육과
- 2023학년도 학교 성희롱·성폭력 사안 처리 안내서, 서울특별시교육청
- 2023학년도 학교체육 활성화 추진 기본 계획, 서울특별시교육청
- 2023학년도 학생 생활규정 길라잡이(2023년 개정판), 서울시교육청 민주시민생활교육과
- 2023학년도 학생생활교육 운영 계획, 서울특별시교육청 민주시민생활교육과
- 2023학년도 학업중단 예방 계획, 서울특별시교육청
- 2022 개정 초·중등학교 및 특수교육 교육과정 확정·발표, 교육부 보도자료, 2022. 12. 22.
- 2022 고교학점제 학교 공간 조성(교과교실제) 기본 계획, 서울특별시교육청
- 2022 교육후견인제 운영 계획, 서울특별시교육청 참여협력담당관
- 2022 꿈을 담은 놀이터 만들기 사업 안내, 서울시특별시교육청 초등교육과
- 2022 꿈잼 네트워크 알리미 통합본, 서울특별시교육청 초등교육과
- 2022 사이버폭력 예방 역량강화 교원 표준연수안, 교육부 등
- 2022 아동학대 주요 통계, 보건복지부
- 2022 혼합수업 이야기-어떻게 시작할까?, 서울특별시교육청 중등교육과
- 2022~2023 특수교육 진로코칭 도움자료(개정판), 서울특별시교육청
- 2022년도 제4회 서울형혁신교육지구 활동사례집, 서울특별시교육청 참여협력담당관
- 2021 교육(누리)과정 연계 다문화교육 수업 도움자료, 교육부, 17개 시·도 교육청, 국가평생교육진흥원, 중앙다문화교육센터
- 2020 학생자치활동 활성화 지원 계획, 서울특별시교육청 민주시민생활교육과
- 2020학년도 서울형 고교학점제 기본 계획
- [Q&A] 「디벗」이 궁금해요, 하나에서 열까지, 서울특별시교육청 중등교육과
- Digital Native, Digital Immigrants, Marc Prensky, 2001.
- 경계선 지능 학생 지원 가이드북, 서울시특별시교육청
- 곁에 두고 바로쓰는 통합학급 길라잡이, 서울시특별시교육청
- 관계회복 안내 자료, 서울특별시교육청 민주시민생활교육과
- 교복 입은 시민 학생자치활동(중등), 서울특별시교육청
- 교사교육과정 워크숍(배부용), 서울특별시교육청
- 교사를 위한 다문화학부모 상담 길라잡이, 교육과학기술부, 중앙다문화교육센터
- 교실에서 만나는 세계시민교육, 서울특별시교육청
- 교원을 위한 인공지능(AI) 첫걸음, 서울특별시교육청 교육혁신과
- 교원의 교육활동 보호 매뉴얼(2022년 개정판), 서울특별시교육청
- 교육부 2022 개정 교육과정 총론 주요사항, 2021. 11. 24.

- 교육을 혁신하다! 서울형 혁신학교 A to Z –서울형혁신학교 편, 서울틀별시교육청(https://blog.naver.com/seouledu2012/222053150817)
- 교육인적자원부 진로교육 활성화 지원 계획, 교육부 진로교육정책과
- 꼬리에 꼬리를 무는 생활교육 이야기(생활교육 도움자료), 서울특별시교육청
- 다름을 존중하는 우리, 서울특별시교육청 세계시민다문화교육팀, 서울다문화교육지원센터
- 다문화학생 진로·진학 지도를 위한 교사용 매뉴얼, 교육부, 국가평생교육진흥원, 중앙다문화교육센터
- 단위학교 위기관리 가이드라인, 서울특별시교육청
- 담임교사를 위한 학생 상담 가이드, 경기도교육청 학생위기지원단
- 디지털 기반 교육혁신 방안, 교육부
- 서로 다른 우리, 함께 해요 통합교육지원자료(장애이해) 초5·6학년용, 서울특별시교육청
- 서울미래교육 2030, 서울특별시교육청
- 서울특별시 중학교 교육과정 편성 운영 지침, 서울특별시교육청 고시 제2017-4호, 2017. 3. 13.
- 서울특별시 혁신학교 조례 [시행 2016. 7. 7.] [서울특별시 조례 제6258호, 2016. 7. 7. 일부개정]
- 서울특별시교육청 학교민주시민교육 진흥 조례 제8312호, 2022. 1. 6. 일부개정
- 서울혁신미래교육과정, 서울특별시교육청 중등교육과
- 성희롱·성매매·성폭력·가정폭력 예방 및 방지를 위한 2024년 폭력 예방 교육 운영 안내, 여성가족부
- 스마트기기 휴대학습 디벗 이해자료, 서울특별시교육청
- 아동학대 예방을 위한 긍정양육 129 원칙, 보건복지부 등
- 안전사고 조치 및 대응방법, 교육부
- 알아두면 쓸모있고 소소해 보이지만 중요한 것들(2023 개정판), 서울특별시교육청 민주시민생활교육과
- 우리가 꿈꾸는 교실 공모 계획, 서울특별시교육청 초등교육과
- 적정규모학교 육성 업무 매뉴얼, 서울특별시교육청 학교지원과
- 제5차 서울특수교육발전 5개년(2018~2022) 계획, 서울특별시교육청 특수교육과
- 제6차 서울특수교육발전 5개년 계획, 서울특별시교육청 특수교육과
- 제3기 2023학년도 서울형 작은학교 「가고 싶고 머물고 싶은 학교」 운영 계획, 서울특별시교육청 학교지원과
- 제3차(2022~2024년도) 학교안전사고 예방 기본 계획, 교육부
- 주의력결핍과잉행동장애 학생 지도를 위한 교사용 안내서, 서울특별시교육청
- 초등돌봄교실 운영 실무자료집, 교육부 등
- 초등입학 초기 적응 활동 도움자료–2024 행복한 학습자로의 첫걸음, 서울특별시교육청 초등교육과
- 통합교육 중장기 발전 계획, 서울특별시교육청 민주시민생활교육과
- 평화와 공존을 위한 세계시민교육 평화견문록, 서울특별시교육청 민주시민생활교육과
- 학교 위기대응 안내서, 교육부, 한국교육환경보호원, 학생정신건강지원센터
- 학교폭력 사안조사를 담당하는 「학교폭력 전담 조사관 제도」 올해 3월부터 전면 시행, 서울특별시교육청 보도자료, 2024. 1. 26.
- 학교폭력 사안처리 가이드북(2023 일부 개정), 교육부, 이화여대 학교폭력예방연구소
- 학교폭력 예방 및 관계가꿈의 학교문화 조성을 위한 2024학년도 학생 생활교육 운영 계획, 서울특별시교육청 민주시민생활교육과
- 학교폭력예방 및 대책에 관한 법률 시행령 [시행 2024. 3. 1.] [대통령령 제34233호, 2024. 2. 27. 일부개정]
- 함께 실천하는 사이버폭력 예방, 교육부 등

이론편

# 합격 시그널

초판인쇄 | 2024. 11. 1.   초판발행 | 2024. 11. 5.
공저자 | 황서영, 이경민, 정지원, 구영모
발행인 | 박 용
발행처 | (주)박문각출판
등록 | 2015년 4월 29일 제2019-000137호
주소 | 06654 서울시 서초구 효령로 283 서경빌딩
팩스 | (02)584-2927   전화 | 교재주문·학습문의 (02)6466-7202

저자와의
협의하에
인지생략

정가 30,000원(이론편·문제편 포함)
ISBN 979-11-7262-272-5
SET  979-11-7262-271-8